T. Marin

Primo
Ascolto

**Materiale per la preparazione alla
prova di comprensione orale e lo
sviluppo dell'abilità di ascolto**

Livello elementare

A1-A2 QUADRO EUROPEO
DI RIFERIMENTO

Libro del professore

T. Marin ha studiato lingua e filologia italiana presso le Università degli Studi di Bologna e Aristotele di Salonicco. Ha conseguito il Master Itals (didattica dell'italiano) presso l'Università Ca' Foscari di Venezia e ha maturato la sua esperienza didattica insegnando presso varie scuole d'italiano. È autore di diversi testi per l'insegnamento della lingua italiana: *Progetto italiano 1, 2* e *3* (libri dei testi), *La Prova orale 1* e *2, Primo Ascolto, Ascolto Medio, Ascolto Avanzato, l'Intermedio in tasca, Ascolto Autentico, Vocabolario Visuale* e *Vocabolario Visuale - Quaderno degli esercizi* e ha curato la collana *Video italiano*. Ha tenuto varie conferenze sulla didattica dell'italiano come lingua straniera e sono stati pubblicati numerosi suoi articoli.

© Copyright edizioni Edilingua
Via Paolo Emilio, 28 00192 Roma

Via Moroianni, 65 12133 Atene
Tel. +30-210-57.33.900
Fax + 30-210-57.58.903
www.edilingua.it
info@edilingua.it

I edizione: settembre 2001
Impaginazione e progetto grafico: EDILINGUA
Registrazioni ed elaborazione sonora: Studio *Echo*
Voci di: A. Frazzita, M. Strani, L. Matarese, A. Damascelli, S. Giammancheri, T. Marin
ISBN 978-960-7706-37-9

L'editore è a disposizione degli aventi diritto non potuti reperire; porrà inoltre rimedio, in caso di cortese segnalazione, ad eventuali omissioni o inesattezze nella citazione delle fonti.

Vorrei ringraziare gli amici colleghi che, provando in classe questo materiale e condividendo con me le loro preziose osservazioni, hanno contribuito in modo decisivo alla creazione del libro. Un sentito ringraziamento a Loredana, Amelia e Mariangela per i loro validi suggerimenti. Ai tecnici del suono per un ottimo lavoro. Infine, ad Angela, Loredana, Monica, Antonio e Salvatore per aver dato vita ai testi scritti, con il loro talento, la loro professionalità e la loro vivacità durante la registrazione.

INDICE

PRIMA PARTE

Titolo	durata	pag.
1. Chi sei?	0,52"	11
2. Amici e parenti	0,59"	12
3. Accettare / rifiutare un invito	1,27"	14
4. Case e appartamenti	1,03"	15
5. Rispondere con certezza e non	1,07"	17
6. Brevi sorrisi	0,57"	18
7. Cos'hai fatto?	1,14"	20
8. Messaggi pubblicitari (1)	1,26"	21
9. Quiz	1,25"	22
10. Hai capito o no?	1,17"	24
11. Il tempo	0,55"	25
12. Notizie varie	1,34"	26
13. In treno	1,38"	27
14. Al ristorante	1,17"	28
15. Messaggi pubblicitari (2)	1,54"	30
16. Professioni	1,46"	31
17. D'accordo?	1,33"	32
18. Strano, ma vero	1,32"	33
19. Fare la spesa	1,35"	34
20. Contenti e non	1,21"	36

INDICE

SECONDA PARTE

Titolo	durata	pag.
21. Annunci	1,11"	39
22. Abbigliamento	1,15"	40
23. Messaggi telefonici (1)	1,17"	41
24. Programmi televisivi	1,08"	42
25. Curiosità italiane	1,48"	43
26. Indicazioni stradali	1,11"	44
27. Messaggi pubblicitari (1)	1,05"	45
28. Una ricetta	0,44"	46
29. Messaggi telefonici (2)	1,23"	47
30. Maleducati	1,40"	48
31. Una telefonata	1,50"	49
32. Una prenotazione	1,20"	50
33. Appassionata di cinema	1,58"	51
34. Messaggi pubblicitari (2)	1,56"	52
35. Smettere di fumare	1,17"	53
36. Una mamma preoccupata	1,02"	54
37. Una cantante napoletana	1,20"	55
38. Messaggi pubblicitari (3)	1,39"	56
39. Alimentazione	1,15"	57
40. Una fan	1,18"	58

PREMESSA

La comprensione orale è una delle abilità linguistiche più trascurate, essendo di solito poco esercitata e, quindi, meno sviluppata rispetto alle altre. Il motivo, oltre al fatto che molti manuali dedicano poco spazio all'ascolto, è la solita mancanza di tempo. Si tratta, però, di una scelta, cosciente o meno, di noi insegnanti, che molto spesso privilegiamo l'insegnamento della grammatica e trascuriamo gli aspetti più comunicativi della lingua, come sono appunto la comprensione e la produzione orale.

D'altra parte, negli ultimi tempi l'importanza della comprensione orale è stata rivalutata: non è considerata solo la base della comunicazione, ma è anche importantissima tra le prove degli esami di lingua di tutti i livelli. Quindi, scopo di *Primo Ascolto* è preparare in modo efficace alle prove di ascolto di questi esami, quali Celi 1 e 2, Cils 1 e altri simili. Ma preparazione non significa solo eseguire una serie di test, un continuo esercitarsi con il punteggio come unico obiettivo. E ciò è ancora più importante quando si ha a che fare con studenti principianti, ai primi passi con la lingua. Crediamo che con questo libro senz'altro riuscirete a preparare con successo i vostri allievi, ma non solo; nello stesso tempo i vostri allievi avranno la possibilità di venire a contatto con la lingua italiana viva, attraverso una grande varietà di argomenti e situazioni adatte a questo livello linguistico, nonché di atti comunicativi e lessico altrettanto utili.

LIVELLO E SCELTE DIDATTICHE

Primo Ascolto copre due livelli linguistici: l'elementare, che corrisponde alla Prima Parte del libro, e l'intermedio, che corrisponde alla Seconda Parte. Anche se l'ordine dei testi è indicativo e non certo obbligatorio, sarebbe consigliabile prenderlo in considerazione, poiché i testi seguono una difficoltà progressiva, cosa importante a questo livello.

LA PRIMA PARTE

Si rivolge a studenti che partono letteralmente da zero, ma anche a falsi principianti che hanno bisogno di rivedere elementi lessicali e comunicativi fondamentali per questo livello. I primi venti testi coprono argomenti adatti a chi è ai primi passi di una lingua: noi, amici e parenti, casa, cucina, musica, cinema, tv, il tempo, trasporti, professioni, notizie e curiosità, pubblicità, abbigliamento ecc.. Inoltre, vengono presentati atti comunicativi utili a questo e a qualsiasi livello: esprimere accordo/disaccordo, gioia, rammarico, accettare/rifiutare, rispondere con certezza e non, ordinare, ecc.. Così lo studente ha la possibilità di trovarsi a contatto non solo con la lingua viva ma anche con la realtà italiana, imparando lessico nuovo.

Ogni testo è corredato da due esercitazioni, la prima delle quali potrebbe essere definita un'attività preparatoria, in quanto ha lo scopo di "riscaldare" lo studente. Si è cercato di evitare la ripetizione, presentando esercitazioni varie: individuazione di parole ed espressioni relative o estranee, abbinamento di dialoghi a foto, ecc..

Queste attività, oltre ad incoraggiare lo studente, offrono un interessante e spesso piacevole stimolo per un primo ascolto. Dalla fase di preparazione si può poi passare direttamente alla seconda parte delle attività, che consistono in una simulazione delle prove di esame.

Le tipologie dei secondi esercizi sono infatti quelle presenti nelle prove di esami di lingua più diffusi, quali Celi 1 e Cils 1 o altri simili: abbinamento, scelta multipla (a due scelte) individuazione di informazioni presenti o meno ecc.. Si è cercato di non presentare esercizi della stessa tipologia in testi consecutivi al fine di evitare la ripetizione e tener sempre vivo l'interesse degli studenti.

I testi sono brevi dialoghi o monologhi, notizie, messaggi pubblicitari ecc.. Anche se siamo praticamente all'inizio del processo didattico, si tratta di testi completi, vivi, naturali, interessanti e, spesso, divertenti. Non è stata una scelta facile, ma è molto importante riuscire a rendere l'apprendimento piacevole e, quindi, efficace. Ed è altrettanto importante per uno studente rendersi conto che, dopo uno o due mesi di studio, può capire un dialogo spiritoso o una battuta.

Infine, noterete che anche se si propone sempre un ultimo ascolto per la verifica delle risposte date, il punteggio analitico ("Risposte giuste") viene introdotto solo dopo il quinto testo. Questo per incoraggiare quanto possibile gli studenti, che sono ancora al loro primo impatto con la lingua, liberandoli almeno temporaneamente dalla "caccia al voto". Ciò non significa che le prime prove sono troppo facili o che non danno una motivazione agli studenti; l'idea generale è quella di "andare piano" all'inizio.

LA SECONDA PARTE

Anche se tra la prima e la seconda parte esistono differenze precise, il passaggio dovrebbe avvenire senza problemi, poiché i testi seguono una difficoltà graduale senza salti improvvisi. Ovviamente cambia la tipologia, adattandosi a quella degli esami di lingua più diffusi di questo livello (Celi 2, Cils 1 ecc.): scelta multipla (a tre scelte) e individuazione di frasi o affermazioni presenti o meno. La tematica, a sua volta, è adatta a questo livello, ma anche a quella più spesso presentata ai suddetti esami: messaggi telefonici, notizie, istruzioni, messaggi pubblicitari ecc..

I TESTI AUTENTICI

La seconda parte è a sua volta divisa in due parti: i testi recitati in studio e quelli autentici, registrati dalla radio e dalla televisione italiana. E questa è una delle novità di *Primo Ascolto*: l'uso di materiale autentico dopo appena 50-60 ore di studio. I brani scelti (tra una grande quantità di materiale registrato) sono interessanti e facili e comprendono sia monologhi che dialoghi. Anche qui il passaggio non dovrebbe creare problemi, soprattutto se l'insegnante tranquillizza lo studente, spiegando che lo scopo non è "capire tutto" (come viene più volte ripetuto nel libro). Ascoltando un brano lo studente dovrebbe capire ogni volta di più, per arrivare alla fine (dopo 3-4 ascolti) ad una comprensione globale, tale da permettergli di rispondere alle (piuttosto semplici) esercitazioni proposte. Ogni esercizio costituisce anche uno spunto per ascoltare e non va visto rigorosamente come un test. Scopo quindi dell'insegnante non è solo di controllare, ma anche di stimolare e incoraggiare, cosa importantissima soprattutto quando lo studente troverà una registrazione difficile dopo un primo ascolto. Gli studenti che usano *Primo Ascolto* hanno inoltre la possibilità di ascoltare i testi anche individualmente, scegliendo l'edizione con la cassetta.

Sull'importanza del materiale audio autentico, ci sarebbe molto da dire: è il vero contatto con la lingua viva, che di solito gli studenti d'italiano non riescono ad avere. Ed è molto importante presentare brani autentici quanto più presto possibile, già dal primo anno di studio. Anche se è possibile che dopo un primo ascolto, alcuni studenti rimarranno un po' perplessi, è quasi sicuro che presto, gli stessi studenti saranno molto contenti di poter "capire gli italiani", o almeno buona parte di un dialogo autentico.

LA REGISTRAZIONE

I testi registrati in studio sono basati su dialoghi vivi con un linguaggio quotidiano. Ma sono stati gli attori, con il loro talento e la loro professionalità a dare vita ai testi scritti, rendendoli veramente naturali e spontanei.

IL LIBRO DEL PROFESSORE

Questo volume, con un'impaginazione simile a quello dello studente, comprende le soluzioni delle esercitazioni e, alla fine del libro, la trascrizione di tutti i testi. Noterete che alcuni testi (n. 1, 11, 21 e 31) non hanno le chiavi segnate sulle attività. Lo scopo è di dare agli insegnanti la possibilità di provare il libro in classe, facendo delle fotocopie, praticamente con l'autorizzazione dell'editore. Le soluzioni delle attività di questi quattro testi si trovano insieme alle trascrizioni.

PROGETTO ITALIANO 1

Primo Ascolto può corredare qualsiasi libro di testo, e grazie ai suoi argomenti e alla sua impostazione grafica moderna, è adatto a studenti di varie fasce di età. Può, inoltre, corredare in modo ideale *Progetto italiano 1*, in quanto tratta molti degli argomenti di quest'ultimo, seguendo più o meno lo stesso ordine. In questo modo permette la verifica di elementi (lessico, atti comunicativi, ecc.) già incontrati, oppure l'introduzione di quelli che si andrà a imparare in modo più sistematico.

Buon lavoro!
l'autore

PRIMO ASCOLTO
PRIMA PARTE
TESTI 1 - 20

1. Chi sei?

1. _Ascoltate i testi una prima volta. Di queste sei parole che seguono solo quattro sono veramente presenti; quali sono?_ Non importa se avete parole sconosciute.

> ☐ scuola   ☐ Gianni   ☐ zio
>
> ☐ inglese   ☐ ragazzo   ☐ professoressa

2. _Ascoltate di nuovo i testi per una o due volte e indicate con una X se le seguenti frasi sono presenti o no._ Non preoccupatevi se avete parole sconosciute.

		Sì	No
A.	mi chiamo Nadia e sono italiana		
B.	l'Italia mi piace molto		
C.	sono Roberto, ho 19 anni		
D.	sono Toscano, di Roma		
E.	il mio amico si chiama Pietro		
F.	siamo di Milano		
G.	mi chiamo Lucy e sono di Liverpool		
H.	ho 22 anni e sono studentessa di architettura		
I.	sono in Italia in vacanza		
L.	ha 19 anni ed è americano		

3. _Se volete, riascoltate i testi e verificate le vostre risposte._

2. Amici e parenti

1. *Ascoltate i testi una prima volta. Di queste otto parole che seguono solo cinque sono veramente presenti; quali sono?* Non importa se avete parole sconosciute.

☐ cappello   ☑ lunghi   ☑ simpatica   ☑ neri

☐ canarino   ☑ azzurri   ☑ castani   ☐ ricchi

2. *Ascoltate i testi una o due volte e abbinate ogni testo alla foto opportuna, scrivendo nel quadratino il numero del testo corrispondente. Non tutte le foto corrispondono ad un testo.* Non preoccupatevi se avete parole sconosciute.

a 1

b 4

c 5

d 3

Primo Ascolto

3. *Se volete, riascoltate i testi e verificate le vostre risposte.*

3. Accettare / rifiutare un invito

1. _Ascoltate i testi una prima volta. Delle sei foto che seguono, solo quattro sono relative ai dialoghi; quali sono?_ Non importa se avete parole sconosciute.

☑ a. ☑ b. ☐ c.

☑ d. ☑ e. ☐ f.

2. _Ascoltate i dialoghi una o due volte. Indicate nella tabella con una X se chi risponde accetta o rifiuta l'invito._ Non preoccupatevi se avete parole sconosciute.

	accetta	rifiuta
1.	✔	
2.		✔
3.	✔	
4.		✔
5.		✔
6.	✔	
7.	✔	
8.		✔
9.	✔	
10.		✔

3. _Se volete, riascoltate i testi e verificate le vostre risposte._

Primo
Ascolto

4. Case e appartamenti

1. *Ascoltate i testi una prima volta e segnate quante volte sentite le parole che seguono (esattamente queste, non anche il plurale).* Non importa se non capite tutto.

grande: III   piano: II   garage: II   moderno: I

2. *Ascoltate i testi una o due volte e indicate a quale foto corrisponde ognuno.* Non preoccupatevi se avete parole sconosciute.

☐ a.   1.   ☑ b.

☐ a.   2.   ☑ b.

☐ a.   3.   ☑ b.

☑ a.   4.   ☐ b.

☐ a.   5.   ☑ b.

3. _Riascoltate, se necessario, i testi e verificate le vostre risposte._

16

5. Rispondere con certezza e non

1. *Ascoltate una prima volta i testi e indicate quali delle seguenti frasi sono veramente presenti.* Non importa se avete parole sconosciute.

☐ *alle nove e trenta* ☑ *come no?!* ☐ *che ora è?* ☐ *dal dentista*

☑ *può darsi* ☑ *in vacanza* ☑ *in macchina* ☐ *ho un dubbio*

2. *Ascoltate i testi una o due volte e indicate nella tabella con una X se le persone che parlano rispondono con certezza o hanno qualche dubbio.* Non preoccupatevi se avete parole sconosciute.

	risponde con certezza	ha qualche dubbio
1.	✔	
2.	✔	
3.		✔
4.		✔
5.		✔
6.		✔
7.	✔	
8.	✔	
9.		✔
10.	✔	

3. *Se volete, riascoltate i testi e verificate le vostre risposte.*

6. Brevi sorrisi

1. *Ascoltate i testi una prima volta e indicate quali delle parole che seguono sono veramente presenti.* Non importa se avete parole sconosciute.

☑ soldi   ☐ pittore   ☑ regali   ☐ paziente

☐ utile   ☑ piatto   ☑ hobby   ☐ motorino

2. *Ascoltate una volta i testi guardando queste dieci vignette. Ascoltate di nuovo e abbinate ogni testo all'illustrazione opportuna, scrivendo nel quadratino il numero del testo corrispondente.* Non preoccupatevi se avete parole sconosciute.

Primo
Ascolto

3. *Se volete, riascoltate i testi e verificate le vostre risposte.*

Risposte giuste: /7

7. Cos'hai fatto?

1. *Ascoltate una prima volta i testi e indicate quali delle seguenti foto sono veramente relative ad essi.* Non importa se avete parole sconosciute.

☐ a.   ☑ b.   ☑ c.   ☑ d.

☐ e.   ☐ f.   ☑ g.   ☑ h.

2. *Ascoltate di nuovo i testi per una o due volte e indicate con una X se le seguenti frasi sono presenti o no.* Non importa se avete parole sconosciute.

		Sì	No
A.	non è stato tanto divertente	✔	
B.	abbiamo ballato per ore		✔
C.	ho preferito stare a casa	✔	
D.	è rimasto un mese intero		✔
E.	abbiamo visitato un'altra città		✔
F.	siamo andati a giocare a calcetto	✔	
G.	così abbiamo giocato per due ore		✔
H.	abbiamo fatto il giro dell'isola	✔	
I.	l'altro ieri ho incontrato Mara per strada	✔	
L.	sono ancora innamorato di lei		✔

3. *Riascoltate, se necessario, i testi e verificate le vostre risposte.*

Risposte giuste: /10

Primo
Ascolto

8. Messaggi pubblicitari (1)

1. *Ascoltate una prima volta i testi e indicate a quale delle seguenti foto (a - d) corrisponde ogni messaggio.* Non importa se avete parole sconosciute.

 a 1

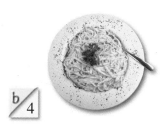 b 4

 c 3

2. *Ascoltate i messaggi una o due volte e indicate con una X l'affermazione giusta fra le due proposte.* Non preoccupatevi se avete parole sconosciute.

 d 2

1. *Italmobil* produce mobili
   - ☑ a. <u>per casa</u>
   - ☐ b. per ufficio

2. *Piatto volante* è il nome di una catena di
   - ☐ a. Internet caffè
   - ☑ b. <u>paninoteche – bar</u>

3. È la pubblicità di
   - ☐ a. un concerto
   - ☑ b. <u>un cd</u>

4. *Pastissima* è
   - ☑ a. <u>un ristorante</u>
   - ☐ b. un libro di cucina

3. *Riascoltate, se necessario, i testi e verificate le vostre risposte.*

Risposte giuste: /4

9. Quiz

1. _Ascoltate il testo una prima volta e indicate quali dei numeri che seguono sono veramente presenti._ Non importa se avete parole sconosciute.

☑ <u>1.000</u>   ☐ 2.200   ☐ 7°   ☐ 15.000

☑ <u>2000</u>   ☐ 1964   ☑ <u>20.000</u>   ☑ <u>100.000</u>

2. _Ascoltate il testo una o due volte e abbinate ogni domanda alla foto opportuna, scrivendo nel quadratino il numero della domanda corrispondente._ Non preoccupatevi se avete parole sconosciute.

3. *Se volete, riascoltate il testo e verificate le vostre risposte.*

Risposte giuste: /6

10. Hai capito o no?

1. _Ascoltate una prima volta i testi e indicate quali delle seguenti frasi sono veramente presenti._ Non importa se avete parole sconosciute.

☐ _c'è un problema_	☑ _io vado_	☑ _è chiaro?_	☐ _come fare?_
☑ _ho l'impressione_	☐ _il cellulare_	☑ _fare spese_	☐ _sei scemo_

2. _Ascoltate i testi una o due volte e indicate nella tabella con una X se chi risponde ha capito quello che l'altro ha detto._ Non preoccupatevi se avete parole sconosciute.

	ha capito	non ha capito
1.	✔	
2.		✔
3.		✔
4.		✔
5.	✔	
6.		✔
7.	✔	
8.		✔
9.		✔
10.	✔	

3. _Se volete, riascoltate i testi e verificate le vostre risposte._

Risposte giuste: /10

Primo
Ascolto

11. Il tempo

1. *Ascoltate una prima volta il testo e indicate a quale di queste due foto corrispondono le previsioni del tempo.* Non importa se non capite tutto.

☐ a. 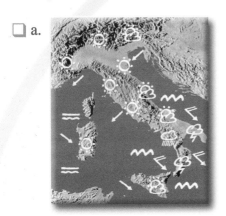 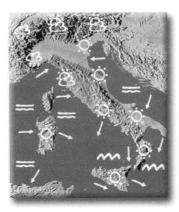 ☐ b.

2. *Ascoltate di nuovo il testo per una o due volte e indicate con una X se le seguenti frasi sono presenti o no.* Non importa se avete parole sconosciute.

		Sì	No
A.	il tempo sarà nuvoloso		
B.	con possibilità di piogge		
C.	è particolare la Toscana		
D.	al Centro i venti saranno moderati		
E.	al Sud della penisola		
F.	temperatura in aumento		
G.	venti deboli		
H.	in Sardegna tutto è sereno		
I.	poco mosso l'Adriatico		
L.	Napoli 11 - 15		

3. *Riascoltate, se necessario, il testo e verificate le vostre risposte.*

Risposte giuste: /10

12. Notizie varie

1. *Ascoltate i testi una prima volta e indicate quali delle parole che seguono sono veramente presenti.* Non importa se avete parole sconosciute.

☑ sciopero   ☑ traffico   ☐ bici   ☐ cantante

☑ partecipazione   ☑ multimediali   ☐ maturi   ☑ prova orale

2. *Ascoltate una volta le notizie e leggete la prova. Ascoltate di nuovo e indicate con una X l'affermazione giusta fra le due proposte.* Non preoccupatevi se avete parole sconosciute.

1. Questo sciopero durerà
   ☐ a. due mesi
   ☑ b. due giorni

2. In alcune città italiane non sarà possibile circolare
   ☑ a. in macchina
   ☐ b. né in macchina né in bicicletta

3. Al festival di Sanremo partecipano
   ☑ a. cantanti più e meno noti
   ☐ b. solo grandi nomi della musica italiana

4. Si tratta di un salone dedicato a
   ☐ a. videogames e giocattoli
   ☑ b. libri e prodotti multimediali

5. Gli esami di maturità prevedono
   ☐ a. quattro prove orali
   ☑ b. quattro prove in tutto

3. *Riascoltate i testi e verificate le vostre risposte.*

| Risposte giuste: | /5 |

13. In treno

1. *Ascoltate una prima volta i testi e indicate le parole estranee tra quelle che seguono.* Non importa se non capite tutto.

☐ Eurocity	☐ espresso	☑ <u>vagone</u>	☑ <u>tariffa</u>
☐ controllore	☑ <u>sconto</u>	☐ binario	☑ <u>bagagli</u>

2. *Ascoltate di nuovo i testi per una o due volte e indicate con una X se le seguenti frasi sono presenti o no.* Non importa se avete parole sconosciute.

		Sì	No
A.	<u>mi sono collegato al sito delle Ferrovie italiane</u>	✔	
B.	così ho preferito prendere l'aereo		✔
C.	<u>ha detto che viene oggi in treno</u>	✔	
D.	prenderà un diretto per arrivare alle sei		✔
E.	il controllore non è passato dalla prima classe		✔
F.	per fortuna non ho pagato la multa		✔
G.	<u>i treni arrivano sempre al binario sbagliato</u>	✔	
H.	<u>il diretto per Roma è in arrivo al binario 20</u>	✔	
I.	a me non piace viaggiare in treno		✔
L.	<u>ora che ci penso, preferisco viaggiare in auto</u>	✔	

3. *Riascoltate, se necessario, i testi e verificate le vostre risposte.*

Risposte giuste: /10

14. Al ristorante

1. *Ascoltate i testi una prima volta e indicate quali delle espressioni che seguono sono veramente presenti.* Non importa se avete parole sconosciute.

- ☑ al pesto
- ☐ di ferro
- ☐ con ragù
- ☑ ai peperoni
- ☑ al dente
- ☐ a pranzo
- ☐ pasta cotta
- ☑ al cioccolato

2. *Ascoltate i testi una o due volte e abbinate ogni testo al piatto scelto, scrivendo nel quadratino il numero corrispondente.* Non preoccupatevi se avete parole sconosciute.

a

b / 2

c / 4

d

Primo
Ascolto

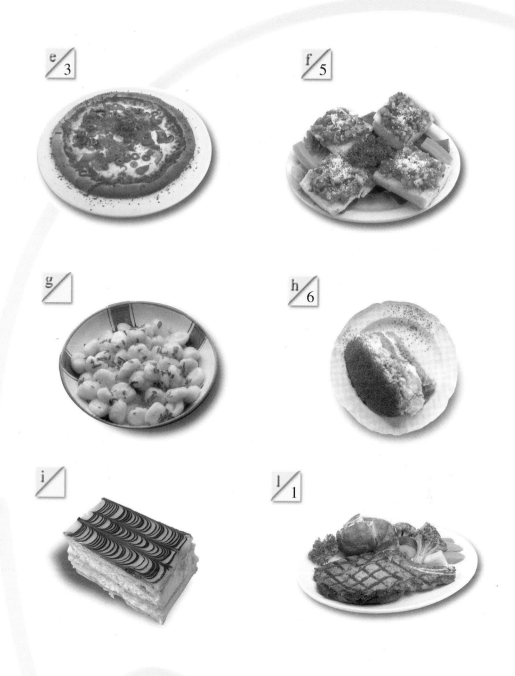

3. *Se volete, riascoltate i testi e verificate le vostre risposte.*

Risposte giuste: /6

15. Messaggi pubblicitari (2)

1. _Ascoltate una prima volta i testi e indicate a quale delle seguenti foto corrisponde ogni messaggio._ Non importa se avete parole sconosciute.

2. _Ascoltate i messaggi una o due volte e indicate con una X l'affermazione giusta fra le due proposte._ Non preoccupatevi se avete parole sconosciute.

1. _Forte +_ è per
   - ☑ a. tutti
   - ☐ b. gli anziani

2. È la pubblicità di
   - ☐ a. un'auto
   - ☑ b. una moto

3. _Find.it_ è
   - ☐ a. un negozio on line
   - ☑ b. un portale su Internet

4. _CercoCasa_ è
   - ☑ a. una rivista
   - ☐ b. un'agenzia immobiliare

5. _Maxicorn_ è diverso per
   - ☑ a. le sue dimensioni
   - ☐ b. il suo sapore

3. _Riascoltate i testi e verificate le vostre risposte._

Risposte giuste: /5

Primo
Ascolto

16. Professioni

1. _Ascoltate una prima volta i testi e indicate i sei oggetti che corrispondono alle professioni nominate._ Non importa se avete parole sconosciute.

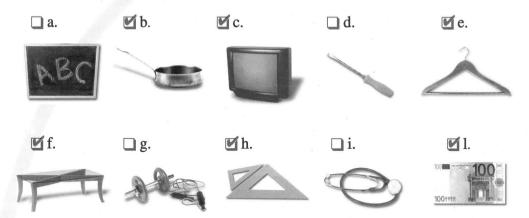

☐ a.   ☑ b.   ☑ c.   ☐ d.   ☑ e.

☑ f.   ☐ g.   ☑ h.   ☐ i.   ☑ l.

2. _Ascoltate di nuovo i testi per una o due volte e indicate con una X se le seguenti frasi sono presenti o no._ Non importa se non capite tutto.

		Sì	No
A.	lavoro nel mondo dello spettacolo		✔
B.	tutto sommato sono soddisfatta	✔	
C.	lavoro presso una ditta che produce mobili		✔
D.	penso proprio di cercare un altro lavoro	✔	
E.	tant'è vero che spesso lavoro fino a tarda notte	✔	
F.	lo stipendio non è tanto alto		✔
G.	sono commessa in un negozio di abbigliamento		✔
H.	ma non sono più in cerca di lavoro		✔
I.	l'orario è veramente pesante	✔	
L.	mi stanco e mi annoio		✔

3. _Riascoltate, se necessario, i testi e verificate le vostre risposte._

Risposte giuste: /10

17. D'accordo?

1. _Ascoltate una prima volta i testi e cercate di indicare con due o tre parole solo di che cosa (o di chi) si parla più o meno in ogni dialogo._ Non importa se avete parole sconosciute.

1. _di un vestito_
2. _di un film_ ....
3. _di una ragazza_ ...
4. _di professioni_ .....
5. _di un cd (album)_
6. _di un giocatore_ ...
7. _di un libro_ ....
8. _di Stefano_ ....
9. _di una macchina_
10. _di un film_

2. _Ascoltate i testi una o due volte e indicate nella tabella con una X se chi risponde è d'accordo o no con quello che l'altro ha detto._ Non preoccupatevi se avete parole sconosciute.

	è d'accordo	non è d'accordo
1.	✔	
2.		✔
3.		✔
4.		✔
5.	✔	
6.		✔
7.	✔	
8.		✔
9.		✔
10.	✔	

3. _Se volete, riascoltate i testi e verificate le vostre risposte._

Risposte giuste: /10

18. Strano, ma vero

1. *Ascoltate una prima volta i testi e indicate a quale delle seguenti foto corrisponde ogni notizia.* Non importa se avete parole sconosciute.

2. *Ascoltate le notizie una o due volte e indicate con una X l'affermazione giusta fra le due proposte.* Non preoccupatevi se avete parole sconosciute.

1. Vent'anni fa il sig. Rinaldo
   - ☐ a. aveva rubato uno scooter
   - ☑ b. <u>aveva perso uno scooter</u>

2. La moglie ha chiesto il divorzio perché il marito
   - ☑ a. <u>era troppo affettuoso con la gattina</u>
   - ☐ b. non era affatto affettuoso con la gattina

3. Il sig. Menozzi
   - ☑ a. <u>continuerà a partecipare a concorsi a premi</u>
   - ☐ b. ha promesso che smetterà di partecipare a concorsi a premi

4. La notizia parla del furto di
   - ☐ a. macchine molto costose
   - ☑ b. <u>macchine di piccole dimensioni</u>

5. A rubare di più nei supermercati italiani sono
   - ☑ a. <u>donne benestanti</u>
   - ☐ b. manager dai trenta ai quarant'anni

3. *Riascoltate i testi e verificate le vostre risposte.*

Risposte giuste: /5

19. Fare la spesa

1. *Ascoltate i testi una prima volta e indicate quali delle parole che seguono sono veramente presenti.* Non importa se avete parole sconosciute.

- ☐ mercato
- ☑ macelleria
- ☑ surgelati
- ☑ marche
- ☑ fruttivendolo
- ☐ etto
- ☐ reparto
- ☐ detersivo

2. *Ascoltate i testi una o due volte e indicate quali di questi prodotti comprano o devono comprare i protagonisti dei dialoghi, scrivendo nel quadratino il numero corrispondente.* Non preoccupatevi se avete parole sconosciute.

Primo
Ascolto

3

 2

 1

 4

3. *Se volete, riascoltate i testi e verificate le vostre risposte.*

Risposte giuste: /6

20. Contenti e non

1. _Ascoltate i testi una o due volte e indicate nella tabella con una X se chi risponde è contento o no._ Non preoccupatevi se avete parole sconosciute.

	è contento	non è contento
1.		✔
2.		✔
3.	✔	
4.	✔	
5.	✔	
6.	✔	
7.		✔
8.		✔
9.		✔
10.	✔	

2. _Ascoltate di nuovo i testi e cercate di completare le frasi con una o due parole._ Non importa se avete parole sconosciute.

1. Lunedì iniziano gli esami _all'università_
2. Ho comprato questa cravatta _di seta_
3. Domenico e Laura _si sposano_
4. Sai, ho deciso di _cambiare macchina_
5. Quindi, quest'anno _niente regalo_
6. Io, invece, non ne ho superato _nemmeno uno_

3. _Riascoltate i testi e verificate le vostre risposte al primo esercizio._

Risposte giuste: /10

Primo
Ascolto

PRIMO ASCOLTO
SECONDA PARTE

TESTI 21 - 40

21. Annunci

1. *Ascoltate i testi una prima volta e indicate quali delle parole che seguono sono veramente presenti.* Non importa se avete parole sconosciute.

☑ gratuita ☑ proviene ☐ anziché ☑ allacciare
☐ atterraggio ☑ stradale ☐ rallentamenti ☐ speciale

2. *Ascoltate gli annunci una o due volte e indicate con una X l'affermazione giusta fra le tre proposte.* Non preoccupatevi se avete parole sconosciute.

1. La persona che telefona è pregata di
   ☑ a. controllare il numero
   ☑ b. richiamare in un altro momento
   ☐ c. lasciare un messaggio

2. L'annuncio informa che
   ☐ a. i due treni arriveranno come previsto
   ☐ b. i due treni arriveranno in ritardo
   ☑ c. uno dei treni arriverà in ritardo

3. È possibile sentire questo annuncio
   ☐ a. all'inizio del viaggio
   ☐ b. alla fine del viaggio
   ☑ c. nella sala di attesa di un aeroporto

4. I problemi di traffico sono dovuti
   ☐ a. al fatto che molta gente va al mare
   ☐ b. al cattivo tempo
   ☑ c. ad un incidente stradale

5. Il negozio
   ☑ a. offre ai propri clienti un regalo
   ☐ b. informa i clienti sull'ora di apertura
   ☑ c. informa i clienti sull'ora di chiusura

3. *Riascoltate i testi e verificate le vostre risposte.*

Risposte giuste: /5

22. Abbigliamento

1. *Ascoltate una prima volta i testi e indicate quali di questi articoli di abbigliamento sono veramente presenti nei dialoghi.* Non importa se avete parole sconosciute.

☐ a. ☐ b. ☐ c. ☑ d.

☐ e. ☑ f. ☑ g. ☐ h.

2. *Ascoltate di nuovo i testi per una o due volte e indicate con una X se le seguenti affermazioni sono presenti o no.* Non importa se non capite tutto.

		Sì	No
A.	Alla prima ragazza piace una gonna bianca		✔
B.	Alla sua amica non piace affatto		✔
C.	La commessa non può fare uno sconto maggiore	✔	
D.	La signora compra tutte e due le paia		✔
E.	Il ragazzo non ha comprato la camicia blu	✔	
F.	Alla fine però l'ha comprata sua madre		✔
G.	La ragazza ha comprato un vestito di Dolce e Gabbana		✔
H.	Prima o poi sarà possibile trovare prezzi migliori	✔	
I.	La ragazza pensa di comprare un nuovo vestito		✔
L.	Al ragazzo sembra un po' troppo corto	✔	

3. *Riascoltate, se necessario, i testi e verificate le vostre risposte.*

Risposte giuste: /10

23. Messaggi telefonici (1)

1. *Ascoltate una prima volta i testi e cercate di completare le frasi con una o due parole.* Non importa se avete parole sconosciute.

1. Scusami, ma ..... *la colpa* .... non è mia.
2. Se il cellulare lo tieni sempre spento, ... *perché mai* .... l'hai preso?
3. Chiamo per l'annuncio che .... *avete messo* .... su *Corriere lavoro*.
4. Sono Vittorio, ... *dalla carrozzeria* .... Auto In.

2. *Ascoltate i messaggi una o due volte e indicate con una X l'affermazione giusta fra le tre proposte.* Non preoccupatevi se avete parole sconosciute.

1. Marta chiama Pippo per
   - ☐ a. invitarlo ad una festa
   - ☑ b. <u>cancellare il loro appuntamento</u>
   - ☐ c. fissare un appuntamento

2. Angelo dice al suo amico che
   - ☑ a. <u>lo aspetta sabato</u>
   - ☐ b. ha perso il suo cellulare
   - ☐ c. c'è una bella ragazza che lo vuole conoscere

3. Luca non ha
   - ☑ a. <u>un fax</u>
   - ☐ b. un collegamento Internet
   - ☐ c. un curriculum vitae

4. Il signor Galbani dovrà
   - ☐ a. aspettare ancora alcuni giorni
   - ☑ b. <u>pagare più del previsto</u>
   - ☐ c. trovare un'altra carrozzeria

3. *Riascoltate, se necessario, i testi e verificate le vostre risposte.*

Risposte giuste: /4

1. _Ascoltate una prima volta il testo e indicate quali di questi programmi sono veramente presenti._ Non importa se avete parole sconosciute.

☑ a. <u>cartoni animati</u>   ☐ b. sport   ☑ c. <u>telegiornale</u>   ☑ d. <u>film</u>

☑ e. <u>varietà</u>   ☐ f. pubblicità   ☐ g. documentari   ☑ h. <u>musica</u>

2. _Ascoltate il testo per una o due volte e indicate con una X se le seguenti trasmissioni e orari sono nominati o no._ Non preoccupatevi se avete parole sconosciute.

		Sì	No
A.	14.00 "Solletico"	✔	
B.	15.00 "Disneyworld"	✔	
C.	15.30 Pubblicità		✔
D.	16.00 Miss Italia		✔
E.	17.00 Tg1	✔	
F.	18.00 Telefilm		✔
G.	18.30 Quiz	✔	
H.	19.15 "Il mondo in diretta"	✔	
I.	20.00 Programmi vari		✔
L.	21.20 Film	✔	
M.	23.30 "In onda"		✔
N.	00.30 Film	✔	

3. _Riascoltate, se necessario, il testo e verificate le vostre risposte._

Risposte giuste: /12

Primo
Ascolto

25. Curiosità italiane

1. _Ascoltate una prima volta i testi e indicate a quale delle seguenti foto corrisponde ogni notizia._ Non importa se avete parole sconosciute.

2. _Ascoltate le notizie una o due volte e indicate con una X l'affermazione giusta fra le tre proposte._ Non preoccupatevi se avete parole sconosciute.

1. Gli italiani
   - ☑ a. <u>sono molto soddisfatti della religione</u>
   - ☐ b. sono uno dei popoli più felici del mondo
   - ☐ c. sono soddisfatti del lavoro e della famiglia

2. L'anno precedente ha segnato
   - ☐ a. un forte calo delle vendite di pasta
   - ☑ b. <u>un aumento delle esportazioni di pasta italiana</u>
   - ☐ c. un aumento delle importazioni di pasta dall'estero

3. Il 30% degli italiani
   - ☐ a. ha il cellulare
   - ☐ b. non può vivere senza televisione
   - ☑ c. <u>ha più di una macchina</u>

4. Per amore molte delle ragazze intervistate
   - ☑ a. <u>andrebbero via di casa</u>
   - ☐ b. cambierebbero lavoro
   - ☐ c. si sposerebbero anche a 20 anni

3. _Riascoltate i testi e verificate le vostre risposte._

Risposte giuste: /4

26. Indicazioni stradali

1. _Ascoltate i testi per una o due volte e indicate con una X se le seguenti frasi sono presenti o no._ Non preoccupatevi se avete parole sconosciute.

		Sì	No
A.	è praticamente a due passi da qui	✔	
B.	la seconda strada che incontrerai è via Principe		✔
C.	lì dovresti vedere la piazza	✔	
D.	ho detto la terza a sinistra e poi la prima a destra	✔	
E.	ho detto la seconda a sinistra e poi la terza a destra		✔
F.	ti sei già perso		✔
G.	ti conviene prendere un autobus	✔	
H.	vai dritto per milleduecento metri		✔
I.	va' dritto per altri duecento metri	✔	
L.	ti consiglio, comunque, di chiedere anche più avanti	✔	

2. _Ascoltate i testi e, a coppie, cercate di tracciare il percorso che devono fare i protagonisti dei due dialoghi, partendo dai corrispettivi punti (1-2)._

3. _Riascoltate, se necessario, i testi e verificate le vostre risposte._

Risposte giuste: /10

Primo
Ascolto

1. *Ascoltate una prima volta i testi e indicate a quale delle seguenti foto corrisponde ogni pubblicità.* Non preoccupatevi se non capite tutto.

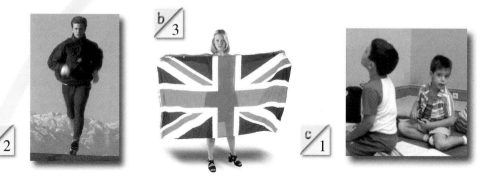

2. *Ascoltate i messaggi due volte e indicate con una X l'affermazione giusta fra le tre proposte.* Non importa se non capite tutto.

1. È la pubblicità di
   - ☐ a. un libro per ragazzi
   - ☑ b. <u>un giocattolo</u>
   - ☐ c. un programma televisivo per ragazzi

2. *Galbanino* è il nome di
   - ☑ a. <u>un formaggio</u>
   - ☐ b. un latte
   - ☐ c. una nuova marca di fette biscottate

3. *English master* è
   - ☐ a. una scuola d'inglese
   - ☑ b. <u>un programma multimediale</u>
   - ☐ c. un libro d'inglese

3. *Riascoltate i testi e verificate le vostre risposte.*

| Risposte giuste: | /3 |

28. Una ricetta

1. *Ascoltate una prima volta il testo e indicate quali di questi ingredienti sono veramente presenti nella ricetta.* Non importa se avete parole sconosciute.

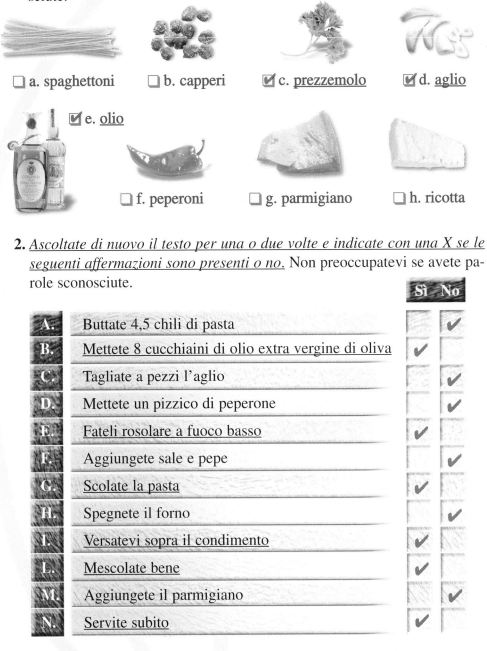

☐ a. spaghettoni ☐ b. capperi ☑ c. prezzemolo ☑ d. aglio

☑ e. olio

☐ f. peperoni ☐ g. parmigiano ☐ h. ricotta

2. *Ascoltate di nuovo il testo per una o due volte e indicate con una X se le seguenti affermazioni sono presenti o no.* Non preoccupatevi se avete parole sconosciute.

		Sì	No
A.	Buttate 4,5 chili di pasta		✔
B.	Mettete 8 cucchiaini di olio extra vergine di oliva	✔	
C.	Tagliate a pezzi l'aglio		✔
D.	Mettete un pizzico di peperone		✔
E.	Fateli rosolare a fuoco basso	✔	
F.	Aggiungete sale e pepe		✔
G.	Scolate la pasta	✔	
H.	Spegnete il forno		✔
I.	Versatevi sopra il condimento	✔	
L.	Mescolate bene	✔	
M.	Aggiungete il parmigiano		✔
N.	Servite subito	✔	

3. *Riascoltate, se necessario, il testo e verificate le vostre risposte.*

Risposte giuste: /12

Primo
Ascolto

29. Messaggi telefonici (2)

1. _Ascoltate i messaggi una o due volte e indicate con una X l'affermazione giusta fra le tre proposte._ Non preoccupatevi se avete parole sconosciute.

1. La persona che chiama vuole sapere
   - ❑ a. quanto costa la macchina
   - ❑ b. di che colore è la macchina
   - ☑ c. di che anno è la macchina

2. Marco vuole parlare con Dino
   - ❑ a. di un favore
   - ❑ b. di un numero telefonico
   - ☑ c. ma non spiega di che cosa esattamente

3. La donna che chiama vuole
   - ☑ a. fissare un appuntamento
   - ❑ b. chiedere se è arrivato il suo curriculum vitae
   - ❑ c. incontrare il direttore

4. Tania vuole in prestito un vestito perché
   - ❑ a. ha un importante incontro di lavoro
   - ☑ b. ha un appuntamento
   - ❑ c. non ha un vestito rosso

2. _Ascoltate una volta i testi e cercate di completare le frasi con due o tre parole._ Non importa se avete parole sconosciute.

1. Telefono per l'annuncio che avete messo ...._sul giornale_.........................

2. È da un mese che non ...._ci sentiamo_............................

3. ...._Saremmo interessati ad_............ una collaborazione con Lei.

4. Mi potresti ...._per caso prestare_........................ quel tuo vestito nuovo?

3. _Riascoltate i testi e verificate le vostre risposte al primo esercizio._

Risposte giuste: /4

30. Maleducati

1. *Ascoltate il testo una o due volte e indicate con una X se le seguenti affermazioni sono presenti o no.* Non preoccupatevi se avete parole sconosciute.

		Sì	No
A.	Suona il campanello dopo le dieci di sera		✔
B.	Domanda l'età ad una signorina		✔
C.	Tiene gli occhiali da sole in un luogo chiuso	✔	
D.	Concede il posto agli altri nelle code		✔
E.	Non fa nessuno sforzo di abbassare la voce	✔	
F.	Mantiene la calma		✔
G.	Accende la sigaretta davanti agli ospiti		✔
H.	Ascolta la radio a tutto volume	✔	
I.	Comunica con loro solo parlando al cellulare		✔
L.	Lo dice ad alta voce	✔	
M.	Si vede che è cosmopolita		✔
N.	Si può sempre migliorare	✔	

2. *Ascoltate di nuovo il testo e cercate di abbinare le due colonne, per formare le espressioni veramente sentite.* Non importa se avete parole sconosciute.

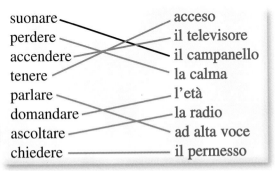

suonare	acceso
perdere	il televisore
accendere	il campanello
tenere	la calma
parlare	l'età
domandare	la radio
ascoltare	ad alta voce
chiedere	il permesso

3. *Riascoltate, se necessario, il testo e verificate le vostre risposte al primo esercizio.*

Risposte giuste: /12

Primo
Ascolto

31. Una telefonata

1. _Ascoltate una prima volta il testo e indicate con una X le parole veramente sentite._ Non preoccupatevi se non capite tutto.

☐ occupato	☐ trasmissione	☐ mare
☐ telefono	☐ dolce	☐ dimenticare

2. _Ascoltate di nuovo il testo due volte e indicate con una X se le seguenti frasi sono presenti o no._ Non importa se non capite tutto.

		Sì	No
A.	mi sembra di capire che sta abbastanza lontano		
B.	sarà difficile riuscire a parlare con lui		
C.	qualcuno mi ha dato il tuo numero		
D.	io conduco un programma in televisione		
E.	alle 23 e mezza		
F.	molto lontano da Milano		
G.	a Milano respiriamo aria buona		
H.	esattamente un anno fa ci siamo conosciuti		
I.	una persona su cui so di poter contare		
L.	perché non mi vuoi bene?		
M.	potremo fare una bella famiglia noi tre		
N.	vi siete conosciuti in chat?		

3. _Riascoltate, se necessario, il testo e verificate le vostre risposte._

Risposte giuste: /12

32. Una prenotazione

1. *Ascoltate il testo due volte e indicate con una X l'affermazione giusta fra le tre proposte.* Non preoccupatevi se non capite tutto.

1. L'uomo vuole prenotare un tavolo da
   - ☐ a. due persone
   - ☐ b. tre persone
   - ☒ c. <u>quattro persone</u>

2. L'impiegata risponde che
   - ☒ a. <u>prima dovrebbe fare alcune telefonate</u>
   - ☐ b. l'uomo la dovrebbe richiamare il giorno dopo
   - ☐ c. l'uomo dovrebbe parlare con il direttore

3. L'uomo vorrebbe avere una risposta
   - ☒ a. <u>dopo quindici minuti</u>
   - ☐ b. dopo un'ora
   - ☐ c. la sera dopo

4. Quando l'uomo richiama, la ragazza lo informa che
   - ☐ a. purtroppo non c'è un tavolo libero
   - ☐ b. c'è un tavolo, ma per meno persone
   - ☒ c. <u>c'è il tavolo richiesto</u>

2. *Ascoltate di nuovo il testo e cercate di completare le frasi con due parole.* Non importa se non capite tutto.

1. Guardi, io per adesso *il tavolo* non ce l'ho.
2. Al limite posso fare un giro *di telefonate*
3. Ci posso provare, ma non dipende solo *da me*
4. D'accordo. *Ci sentiamo* più tardi, allora.
5. La ringrazio, è *stata gentilissima*

3. *Riascoltate il testo e verificate le vostre risposte al primo esercizio.*

Risposte giuste: /4

Primo
Ascolto

33. Appassionata di cinema

1. *Ascoltate una prima volta il testo e indicate con una X i tre film veramente nominati.* Non preoccupatevi se non capite tutto.

☑ "Le verità nascoste"   ☑ "Psycho"

☐ "Peter Pan"   ☐ "Il mostro"

☑ "Austin Powers, il controspione"   ☐ "Coming soon"

2. *Ascoltate di nuovo il dialogo per una o due volte e indicate con una X se le seguenti frasi sono presenti o no.* Non importa se non capite tutto.

		Sì	No
A.	non mi piacciono molto le favole		✔
B.	al cinema vedo più il genere thriller	✔	
C.	mi è piaciuto sempre molto "Peter Pan"	✔	
D.	leggevi il libricino e la storia da sola?	✔	
E.	hai già vinto una magliettina		✔
F.	appartiene ad un attore inglese		✔
G.	non ho parole	✔	
H.	una ragazza di dodici anni		✔
I.	io sono veramente molto appassionata	✔	
L.	qualcosa riesco sempre a capire	✔	
M.	cambio continuamente canale		✔
N.	non mi piacciono però i programmi di classifiche		✔

3. *Riascoltate, se necessario, il testo e verificate le vostre risposte.*

Risposte giuste: /12

34. Messaggi pubblicitari (2)

1. *Ascoltate una prima volta i testi e indicate con una X le frasi veramente presenti.* Non è importante capire tutto.

- ☒ *un primo speciale*
- ☐ *dove sei?*
- ☒ *valori seri*
- ☐ *preferisce chiacchierare*

- ☐ *ha molte amiche*
- ☐ *verdure verdi*
- ☒ *vado pazzo*
- ☒ *alla cacciatora*

2. *Ascoltate i messaggi due volte e indicate con una X l'affermazione giusta fra le tre proposte.* Non preoccupatevi se non capite tutto.

1. La ragazza chiede i *Buonissimi*
   - ☐ a. al libraio
   - ☒ b. all'edicolante
   - ☐ c. al fruttivendolo

2. La madre
   - ☐ a. dice che sua figlia passa molte ore al telefono
   - ☒ b. crede che sua figlia sia diversa
   - ☐ c. non ha un buon rapporto con sua figlia

3. Le insalate *Riomare* sono di
   - ☒ a. pesce e verdure
   - ☐ b. carne e verdure
   - ☐ c. riso e verdure

4. La moglie parla al marito
   - ☐ a. della cucina italiana
   - ☐ b. della cucina francese
   - ☒ c. di una cucina che vorrebbe comprare

3. *Riascoltate i testi e verificate le vostre risposte.*

Risposte giuste: /4

35. Smettere di fumare

1. _Ascoltate il testo due volte e indicate con una X se le seguenti affermazioni sono presenti o no._ Non importa se non capite tutto.

		Sì	No
A.	Smettere di fumare non è difficile		✔
B.	Sei milioni d'italiani ci sono riusciti	✔	
C.	C'è questa dipendenza fisica dalla nicotina	✔	
D.	Chi fuma ha molti problemi psicologici		✔
E.	C'è anche tutto un condizionamento psicologico	✔	
F.	L'industria del tabacco deve pagare		✔
G.	La pubblicità cerca di indurre i giovani al fumo	✔	
H.	Finora quasi tutti i metodi sono falliti		✔
I.	È importante smettere di fumare al primo tentativo		✔
L.	Non bisogna scoraggiarsi davanti a un fallimento	✔	
M.	Bisogna ritrovare in se stessi la forza	✔	
N.	Ogni tanto bisogna riprovare a fumare		✔

2. _Ascoltate di nuovo il testo e completate le espressioni con le preposizioni mancanti._ Non importa se avete parole sconosciute.

a. _la relazione_ ..con la.. _sigaretta_

b. _l'abitudine_ ....al....... _fumo_

c. _un effetto_ ....sulle.... _persone_

d. ......al...... _primo tentativo_

e. _riuscire_ ......a...... _smettere_

f. _riprovare_ ......a....... _smettere_

3. _Riascoltate, se necessario, il testo e verificate le vostre risposte al primo esercizio._

> Risposte giuste: /12

36. Una mamma preoccupata

1. *Ascoltate il testo due volte e indicate con una X l'affermazione giusta fra le tre proposte.* Non preoccupatevi se non capite tutto.

1. La madre si preoccupa per
   - ☑ a. <u>suo figlio</u>
   - ☐ b. sua figlia
   - ☐ c. suo figlio e sua figlia

2. La cartomante* vede subito che i due giovani
   - ☐ a. non hanno nessun problema
   - ☑ b. <u>hanno molti problemi</u>
   - ☐ c. si sposeranno presto

3. Le previsioni sono per la madre
   - ☑ a. <u>più o meno quelle che aspettava</u>
   - ☐ b. una grande sorpresa
   - ☐ c. un po' strane

4. Per la madre è positivo che questa storia
   - ☐ a. va avanti senza problemi
   - ☐ b. va avanti con alcuni problemi
   - ☑ c. <u>non ha futuro</u>

   * cartomante: chi prevede il futuro guardando le carte

2. *Ascoltate di nuovo il testo e cercate di completare le frasi con una o due parole.* Non importa se non capite tutto.

1. È Toro, 28 anni, e lei è ..*Sagittario*..................
2. Perché come va, senz'altro ..*lo sai*........................
3. Come andrà fra loro due a ..*livello sentimentale*................
4. È lei che è ..*così gelosa*........................?
5. Perché questa storia va ad ..*interrompersi*........................

3. *Riascoltate il testo e verificate le vostre risposte al primo esercizio.*

Risposte giuste: /4

Primo
Ascolto

37. Una cantante napoletana

1. *Ascoltate il testo due volte e indicate con una X se le seguenti affermazioni sono presenti o no.* Non è importante capire tutto.

		Sì	No
A.	È il ritorno di una bellissima donna		✔
B.	Soprattutto di una mamma a tempo pieno	✔	
C.	Aveva qualcosa di molto importante da fare	✔	
D.	Ha una bellissima bambina di 2 anni		✔
E.	Ha lavorato sempre, anche in gravidanza	✔	
F.	Per fortuna non è stata una gravidanza pesante		✔
G.	Hanno suonato in molti locali italiani		✔
H.	Per lei è molto importante cantare a "Viva Napoli"	✔	
I.	Hanno già fatto tournée sia prima della nascita che dopo	✔	
L.	Continuerà a dedicare la sua vita anche alla musica	✔	
M.	Senza musica non può stare	✔	
N.	È appena uscito il suo nuovo cd		✔

2. *Ascoltate di nuovo il testo e rispondete alle seguenti domande con una o due parole.* Non importa se avete parole sconosciute.

1. Come si chiama la cantante? *Irene Fargo*
2. Quanti figli ha? *Due figlie*
3. Come si chiamano? *Eleonora (ed) Elisabetta*
4. Quale parte dell'Italia ha visitato soprattutto? *Il Sud*

3. *Riascoltate, se necessario, il testo e verificate le vostre risposte al primo esercizio.*

Risposte giuste: /12

38. Messaggi pubblicitari (3)

1. _Ascoltate i testi due volte e indicate con una X l'affermazione giusta fra le tre proposte._ Non preoccupatevi se non capite tutto.

1. Il forno _Delonghi_
   - ☑ a. può cucinare in due modi diversi
   - ☐ b. ha un prezzo molto basso
   - ☐ c. è molto piccolo

2. È la pubblicità di
   - ☐ a. un negozio di mobili
   - ☑ b. un'offerta promozionale natalizia
   - ☐ c. un viaggio organizzato

3. Secondo la pubblicità, con _Riomare_
   - ☐ a. non sai cosa scegliere
   - ☐ b. puoi dimagrire
   - ☑ c. puoi stare tranquillo

4. _Universitalia_ è un centro per chi vuole
   - ☐ a. trovare lavoro subito dopo la laurea
   - ☐ b. superare gli esami di ammissione all'università
   - ☑ c. laurearsi

2. _Ascoltate una volta i messaggi e cercate di completare le frasi con le preposizioni mancanti._ Non importa se non capite tutto.

1. Con il forno elettrico tenterai ...._di_.... superare anche mia madre.
2. Si pulisce ...._in_.... un attimo.
3. Quando arriva l'ora ...._di_.... cena.
4. Vai ...._sul_.... sicuro.
5. Sostenere qualsiasi esame ...._nei_... tempi giusti.
6. Pronti ...._all'_.... esame.

3. _Riascoltate i testi e verificate le vostre risposte al primo esercizio._

Risposte giuste: /4

Primo
Ascolto

39. Alimentazione

1. *Ascoltate una prima volta il testo e indicate quali di questi cibi e bevande sono veramente nominati.* Non importa se avete parole sconosciute.

☑ a.   ☐ b.   ☑ c.   ☐ d.

☑ e.   ☑ f.   ☐ g.   ☑ h.

2. *Ascoltate il testo per una o due volte e indicate con una X se le seguenti affermazioni sono presenti o no.* Non è importante capire tutto.

		Sì	No
A.	Al mattino bisogna fare un'ottima colazione	✔	
B.	Biscotti preferibilmente al cioccolato		✔
C.	A metà mattino uno spuntino a base di frutta	✔	
D.	La mattina è meglio evitare lo yogurt		✔
E.	Il piatto migliore sarebbe carboidrati con legumi	✔	
F.	I legumi, però, non danno proteine		✔
G.	Il grasso è dato dall'olio extra vergine d'oliva	✔	
H.	A merenda un altro frutto	✔	
I.	A mezzogiorno meglio saltare il pasto		✔
L.	Se non ci sono dei grossi problemi di dieta, anche il pane	✔	
M.	Bisogna evitare a tutti i costi la carne		✔
N.	La frutta bisogna mangiarla lontano dal pasto		✔

3. *Riascoltate, se necessario, il testo e verificate le vostre risposte.*

Risposte giuste: /12

Primo
Ascolto

40. Una fan

1. _Ascoltate il testo due volte e indicate con una X l'affermazione giusta fra le tre proposte._ Non preoccupatevi se non capite tutto.

1. All'inizio Antonella
   - ☐ a. vuole informazioni sul prossimo concerto del cantante
   - ☐ b. chiede quando il cantante visiterà Foggia
   - ☑ c. si complimenta con il cantante per un suo concerto

2. Poi dice che durante un concerto il cantante
   - ☑ a. non l'ha guardata per niente, anche se era in prima fila
   - ☐ b. la guardava continuamente, perché lei era in prima fila
   - ☐ c. guardava una ragazza in prima fila

3. Il cantante risponde che
   - ☐ a. non guarda mai verso il pubblico
   - ☐ b. le ha mandato anche un bacio
   - ☑ c. l'ha guardata

4. Alla fine Antonella parla di due cd del cantante che
   - ☑ a. non riesce a trovare
   - ☐ b. sono i suoi preferiti
   - ☐ c. non le piacciono quanto tutti gli altri

2. _Ascoltate una volta il testo e cercate di completare le frasi con due o tre parole._ Non importa se non capite tutto.

1. Il concerto che hai tenuto ad Apricena, ..._in provincia_.......... di Foggia.
2. Come no! È stata una ...._serata meravigliosa_...............
3. Io ero in prima fila, davanti ...._al tuo microfono_..................
4. È la tensione, la tensione che si ...._crea sul palco_.......................
5. Comunque, io ero quella che ti ...._mandava i baci_...............!

3. _Riascoltate il testo e verificate le vostre risposte al primo esercizio._

Risposte giuste: /4

Primo
Ascolto

TRASCRIZIONE DEI TESTI

PRIMA PARTE

1. Chi sei?

1. Mi chiamo Nadia e sono francese. Sono di Parigi. Ho 16 anni e vado a scuola. L'Italia mi piace molto; anche gli italiani!
2. Ciao, io sono Roberto. Ho 19 anni e sono toscano, di Firenze. Sono studente a Roma.
3. Io sono Pietro e il mio amico si chiama Gianni. Abbiamo la stessa età, 17 anni e andiamo a scuola. Siamo di Milano.
4. Io mi chiamo Lucy e sono di Liverpool. Ho 22 anni e lavoro insieme a mio zio, che ha un negozio di abbigliamento.
5. Ciao, mi chiamo Carmen e sono spagnola, di Madrid. Ho 20 anni e sono studentessa di architettura. Sono in Italia per un corso d'italiano.
6. Quel ragazzo biondo si chiama Nick. Ha 19 anni ed è americano. Secondo me, è il più bel ragazzo della classe.
Chiavi: *1. scuola, Gianni, zio, ragazzo. 2. presenti: B, C, F, G, L.*

2. Amici e parenti

1. Marina, mia cugina, ha i capelli bruni e lunghi e gli occhi castani. Tutti la trovano simpatica. È molto magra e vuole fare la modella, ma secondo me, non è poi così bella!
2. L'amico migliore di mio fratello si chiama Mario. Ha i capelli bruni e un po' lunghi e gli occhi neri. Ma quello che mi piace è la sua barba piccola piccola, molto moderna.
3. La sorella di Laura, Gianna, è molto carina. Ha i capelli biondi e molto corti. I suoi occhi poi sono azzurri. Sorride sempre e io la trovo molto simpatica.
4. Paolo e Stefania sono molto innamorati. Lei ha i capelli biondi, ricci, non molto lunghi, mentre lui ha i capelli molto corti e bruni. Ah, l'amore fa sembrare tutti più belli!
5. Marta è la mia compagna di banco ed è una amica vera. Ha i capelli castani e ricci ed è molto magra. Piace a quasi tutti i ragazzi della classe, ma lei è innamorata cotta di Davide.

3. Accettare / rifiutare un invito

1.
- Senti, Maria, che fai stasera? Hai mica voglia di andare al cinema?
- Certo, è un'ottima idea.
2.
- Stasera alla televisione non c'è proprio niente. Che ne dici di andare a ballare?
- Purtroppo non posso. Domani mattina mi devo alzare alle sei e mezza!
3.
- Stasera i miei genitori usciranno e sarò da sola. Vuoi venire a giocare alla play station?
- Come no?!
4.
- Ragazzi, noi abbiamo deciso: in agosto andiamo per due settimane in Sicilia. Venite con noi?
- Grazie per l'invito, ma io prendo le ferie a luglio.

5.
- Sai, Cinzia, venerdì prossimo è San Valentino. Vuoi che andiamo a cena insieme?
- ...Mi piacerebbe tanto, ma purtroppo non posso: ho già accettato l'invito di Giovanni!
6.
- Ciao, Piero, sono Anna. Senti, sabato sera organizzo una piccola festa per il mio compleanno; ti aspetto, no?
- Ma senz'altro.
7.
- Signor Parini, io e mia moglie pensiamo di fare una piccola gita questo fine settimana. Perché non viene anche Lei e Sua moglie?
- Volentieri, avvocato!
8.
- Domenica prossima è il matrimonio di Sara e Giacomo. Mi vuoi accompagnare?
- Mi dispiace, Angela, ma domenica io ho da fare.
9.
- Chiara, questa volta non accetto scuse: sabato mattina andiamo a fare spese insieme, va bene?
- D'accordo.
10.
- Uffa! Oggi non ho proprio voglia di andare a lezione. Andiamo a bere un caffè?
- Mah, non so. Meglio un'altra volta.

4. Case e appartamenti

1. Il mio appartamento non è molto grande: c'è una camera da letto, un piccolo bagno, il salotto e la cucina. Per fortuna si trova al quarto piano, quindi non c'è molto rumore.
2. La mia camera da letto mi piace molto: c'è il mio letto, la mia scrivania e, sopra, una libreria con libri e cd, un piccolo stereo e, naturalmente, il mio computer.
3. Noi abitiamo in un grande palazzo al centro della città: ha dieci piani e un garage privato. Purtroppo non ha grandi terrazzi, ma è molto moderno. Come potete immaginare, l'affitto è abbastanza alto.
4. Molto bello il salotto dei signori Ricci: ci sono due divani, una poltrona, un tavolino, una lampada alta e una piccola libreria: naturalmente tutti mobili italiani.
5. Io e la mia famiglia viviamo in periferia, in una casa a due piani: al pianoterra abita mio zio e al primo piano noi. Abbiamo un giardino e un garage. Non è forse troppo grande, ma è accogliente e luminosa e, soprattutto, è nostra!

5. Rispondere con certezza e non

1.
- Fabio, sai a che ora c'è quel film con Monica Bellucci stasera?
- Mi sembra..., aspetta... sì, è alle nove e quaranta.
2.
- Senti, Maria, ci vieni anche tu al cinema, vero?
- Come no?! Scherzi?
3.
- Scusi, signore, mi sa dire che ore sono?
- Purtroppo non ho l'orologio, ma devono essere le due, le due e qualcosa.

4.
- Alice, domani pomeriggio devo andare dal medico. Puoi stare con i bambini per un paio di ore?
- Mah, non so; può darsi.
5.
- Sai per caso quanto costa quel dizionario che dobbiamo comprare?
- Secondo me, deve essere un po' caro, ma non so il prezzo esatto.
6.
- Alla fine, Guido viene in vacanza con voi?
- Forse.
7.
- Sai dov'è il mio cellulare?
- Certo! L'hai lasciato in macchina, come sempre.
8.
- Bravo questo nuovo giocatore argentino dell'Inter, eh?
- Senza dubbio!
9.
- Allora, quale macchina pensi di comprare?
- Probabilmente la nuova *Alfa Romeo*, ma dipende dal prezzo.
10.
- Sai se Giovanni abita qui vicino?
- Giovanni?! No, no, il suo appartamento è in centro.

6. Brevi sorrisi

1. Cara, sai, comincio a credere a quello che dice mia madre: che tu mi sposi solo per i soldi!
2. Grazie alla pittura posso finalmente esprimere i miei sentimenti. Questa qui, per esempio, è mia moglie!
3. Purtroppo, dottore, non è solo che devo lavorare anche a Natale; c'è anche un altro problema: i bambini non credono più in me. Adesso i loro regali li comprano su Internet!
4. Dai, tesoro, devi fare pazienza. Vedrai che 50 anni non sono poi così tanti!
5. Buonasera, signore. La specialità di oggi è il pollo arrosto. Quindi, se vuole il mio consiglio, è inutile guardare il menu: questo è l'unico piatto buono che abbiamo!
6. Sai, io ho due hobby: la musica e lo sport. Così ho scelto uno strumento pesante per combinare tutti e due!
7. Tutto a posto, signor Franchi. C'è solo un piccolo problema al motore. La Sua macchina sarà pronta fra un mese, due al massimo!

7. Cos'hai fatto?

1. Lunedì scorso sono andata al cinema insieme a due mie amiche. Abbiamo visto un film americano, una commedia, ma ad essere sincera, non è stato tanto divertente.
2. Ieri sera Luca e la sua compagnia sono andati a ballare e hanno invitato anche me. Ma io ero un po' stanca e ho preferito stare a casa e guardare la tv.
3. Un mese fa è venuta da Londra mia cugina Paola ed è rimasta un'intera settimana. Così abbiamo fatto tante cose: siamo usciti ogni sera, abbiamo fatto una piccola gita al mare, abbiamo anche visitato un museo; insomma un po' di tutto!

4. Domenica mattina, come ogni domenica, siamo andati a giocare a calcetto. Questa volta pe-rò Giacomo si è dimenticato di prenotare il campo; così, invece di giocare, abbiamo fatto solo un po' di jogging!
5. L'estate scorsa siamo stati in Sardegna in vacanza. Abbiamo noleggiato una macchina e abbiamo fatto il giro dell'isola. Era bellissimo. Chi non ci è stato non sa cosa perde.
6. Sai, l'altro ieri ho incontrato Mara per strada e siamo andati a bere un caffè. Mi ha parlato un po' del suo lavoro, della sua vita. Poi ha chiesto di te, se stai con qualche ragazza. Se-condo me, è ancora innamorata di te.

8. Messaggi pubblicitari (1)

1. *Italmobil* è la soluzione per chi vuole arredare il suo spazio con gusto. In *Italmobil* troverete armadi moderni, tavoli da cucina, letti, divani e poltrone di nostra produzione. Venite in uno dei negozi *Italmobil* e troverete serietà e professionalità. *Italmobil*: i vostri mobili sono il nostro lavoro.
2. Avete fame e fretta? Fate una sosta in un *Piatto volante* per uno spuntino rapido, ma sano. Perché solo in *Piatto volante* potete trovare panini leggeri, ma saporiti. E non solo: succhi di frutta, bibite e naturalmente caffè. E ora siamo anche su Internet: collegatevi al sito www.piattovolante.it, e potrete gustare tutto questo a casa vostra.
3. Dal 25 novembre, in tutti i negozi, *Vasco in concert!* Il nuovo album di Vasco Rossi, racco-glie canzoni che il grande rocker ha cantato nei suoi concerti in Italia e all'estero. Dai vecchi successi degli anni ottanta e novanta, ai suoi ultimi brani. *Vasco in concert!* Con la parte-cipazione di Radio Italia.
4. La cucina italiana vera vi aspetta. *Pastissima*: sapori tradizionali, piatti tipici di tutte le re-gioni d'Italia, in particolare del Sud, in un ambiente familiare. Ricette preparate da chef esperti con ingredienti naturali, proprio come le cucinavano le nostre nonne. Prenotate allo 06-22.41.24.30.

9. Quiz

- Buonasera e benvenuti al nostro quiz "Chi vuole diventare ricco". Il nostro concorrente, il signor Tullio Liveriani, è pronto a rispondere alla prima domanda. Sentiamo: in quale anno *La vita è bella* di Roberto Benigni ha vinto l'Oscar per il miglior film straniero?
- Nel 2000.
- Esatto. 1.000 euro. Seconda domanda: quando la moneta unica europea ha sostituito la nostra, ormai vecchia, lira?
- Il 1° gennaio del 2002.
- Bravo, una data storica. Domanda numero 3: il libro di Enzo Biagi di grande successo che comincia per I?
- *I come Italiani.*
- Esatto! Bravo! Quarta domanda: alla fine del secolo scorso per molti anni la Ferrari non riusciva a conquistare il campionato di Formula 1; per quanti anni esattamente?
- Sono un ferrarista, quindi ricordo bene quel periodo nero: 21 anni!
- Esatto; è già arrivato a 5.000 euro. Domanda numero 5: in quale anno c'è stata la prima trasmissione televisiva in Italia?
- Nel 1954.
- Esatto! 10.000 euro. Sesta domanda: qual è il pilota italiano con il maggior numero di cam-

pionati mondiali di motociclismo?
- Non Valentino Rossi..., sì, è Max Biaggi.
- Esatto! 20.000 euro, complimenti! Adesso facciamo un breve intervallo pubblicitario e dopo il sig. Liveriani, cercherà di vincere i 100.000 euro! A tra poco...

10. Hai capito o no?

1.
- Allora, l'ora dell'appuntamento è cambiata: non è più alle 8, è alle 7. Va bene?
- Certo, alle 7, nessun problema.
2.
- Devi prendere il 10, scendere al capolinea e poi prendere il 14. Hai capito?
- ...Sì, ...eh, quale autobus devo prendere, scusa?
3.
- Ma sai con chi uscirà stasera Paola? Con Attilio, il cugino di Lino.
- Il cugino di chi?
4.
- Mamma, io vado... Eh..., non aspettare, tornerò dopo le tre, ciao.
- Ciao, tesoro..., come, come hai detto?!!!
5.
- Dino, io dico di fare così. È chiaro?
- Sì, è tutto chiaro.
6.
- Ultimamente ho l'impressione che non mi ami come prima; a volte non senti nemmeno quello che ti dico. È vero o no?
- Eh, scusa, amore, puoi ripetere la domanda?
7.
- Alla fine hai scoperto chi ti ha spedito quel messaggio buffo sul cellulare?
- Marcello, chi altro?
8.
- Sono in centro, insieme ad Anna; andiamo a fare spese. Tu dove sei?
- Non ti sento, c'è troppo rumore qui. Dove sei?
9.
- Prima apri il programma, completi l'indirizzo del mittente, scrivi il testo e alla fine premi Invia! Semplice, no?
- Eh, ...cos'è che devo fare prima?
10.
- Dai, non è difficile. Hai capito, no?
- Ecché! Mica sono scemo.

11. Il tempo

Buonasera. Queste sono le previsioni del tempo per domani. Al Nord il cielo sarà nuvoloso, con possibilità di piogge, soprattutto la mattina; in particolare in Piemonte e in Liguria. I venti saranno moderati. Al Centro il cielo sarà sereno la mattina e coperto nel pomeriggio. In particolare in Toscana, possibilità di piogge sparse. I venti saranno deboli. Al Sud della penisola e in Sicilia cielo sereno tutta la giornata con temperatura in aumento. Venti deboli. In Sardegna cielo sereno. Mari: mosso il Tirreno, poco mosso l'Adriatico.

Temperature minime e massime: Milano 8-14, Bologna 7-11, Firenze 8-13, Roma 10-15, Napoli 11-16, Bari 14-18, Palermo 15-18.

Chiavi: *1. b. 2. presenti: B, E, F, G, I.*

12. Notizie varie

1. Oggi e domani tutti gli uffici postali del Paese rimarranno chiusi a causa dello sciopero degli impiegati delle poste. E se non arriva l'aumento di stipendio, promesso due mesi fa dal ministro, questo è solo il primo di una lunga serie di scioperi. Beato chi usa la posta elettronica!

2. Domenica 30 novembre, tutte le grandi città italiane saranno chiuse al traffico. Si tratta di un'iniziativa nell'ambito del programma "Una città per i cittadini". L'iniziativa, più volte provata con successo, prevede, almeno per alcune domeniche all'anno, città senza macchine. Quindi, biciclette e via!

3. Inizia lunedì prossimo il festival di Sanremo, uno dei più celebri al mondo. L'edizione di quest'anno vede la partecipazione di nomi importanti della musica italiana, come Luciano Ligabue, Irene Grandi, Gigi d'Alessio, Carmen Consoli, ma anche di parecchi giovani artisti. Ogni sera, alle 20.30 su Raiuno.

4. Si conclude questa domenica il Salone del libro per bambini di Torino. Quest'anno il festival è dedicato ai libri elettronici e ai programmi multimediali per ragazzi dai 2 ai 10 anni. Potete visitare gli stand di molte case editrici e comprare libri, cd-rom e DVD.

5. Iniziano oggi gli esami di maturità. Gli studenti della terza liceo affronteranno una prova orale su tutte le materie dell'ultimo anno e tre prove scritte: italiano per tutti, latino o greco per il liceo classico, matematica per lo scientifico. Infine, l'ultima prova scritta è un questionario generale. In bocca al lupo a tutti!

13. In treno

1. Mi sono collegata al sito delle Ferrovie italiane per prenotare il biglietto; ma sai quanto costa un biglietto con l'Eurocity, andata e ritorno per Milano in seconda classe? 80 euro! Così ho preferito prendere un espresso: costa molto meno e arriva solo mezz'ora dopo.

2. Ha telefonato Mario e ha detto che viene oggi in treno: però, per la fretta, ha detto solo che partiva alle cinque, ma io non ho capito con quale treno. Perché se prende un diretto, arriverà alle sette; se prende invece l'Intercity, arriverà alle sei. Adesso lui non ha il cellulare e io non so che fare. Vado alla stazione e aspetto?

3. Ricordo la prima volta che ho preso un treno in Italia: una tragedia. Anzitutto, invece di andare nella seconda classe, io mi sono seduta tranquilla nella prima. Non solo, ma quando è venuto il controllore, ho capito che non avevo fatto il supplemento rapido. Come puoi immaginare, ho dovuto pagare una multa.

4. Non posso capire per quale motivo i treni arrivano sempre al binario sbagliato: tu stai tranquillo ad aspettare e ciak!, all'improvviso senti l'annuncio: "il diretto per Roma è in arrivo al binario 20, anziché al binario 2". E dai a correre con le valige in mano, a scendere e salire scale, ad attraversare un'intera stazione affollata per trovare, stressato e sudato, il tuo treno.

5. Eh... a me piace viaggiare in treno. Ci sono, comunque, alcune cose che mi danno fastidio: prima di tutto la fila alla biglietteria, che è sempre lunghissima. Poi i ritardi: non puoi essere

sicuro dell'ora di partenza e di arrivo. E, infine, alcuni passeggeri, che cominciano a parlare e non finiscono mai. Ora che ci penso, preferisco viaggiare in auto.

14. Al ristorante

1. Ragazzi, io ho deciso: siccome non ci sono gli spaghetti al pesto che piacciono a me, io salto il primo: prendo una bella bistecca ai ferri, ben cotta. Poi come antipasto quello che prendete voi.
2. Guarda: qua dice che possiamo combinare qualsiasi tipo di pasta con qualsiasi sugo; secondo te, saranno buone le farfalle al ragù? No, eh? Vabbe', allora gli spaghetti al ragù, con tanto parmigiano sopra?
3. Dai, non prendiamo di nuovo la pizza ai peperoni e funghi, non mi va. Perché non proviamo qualcos'altro? No so, vediamo..., la marinara no, la napoletana no... ecco, prendiamo quella alle olive. Va bene?
4. Cameriere, per me le penne all'arrabbiata...; no, mi scusi, ho cambiato idea: una carbonara. Anzi, no, forse sarà un po' pesante. Meglio gli spaghetti alle vongole. Però, mi raccomando, al dente, perché l'altra volta la pasta era un po' scotta.
5. Come antipasto possiamo prendere le bruschette: sono fette di pane tostato, con aglio, olio e pomodoro. È un tipico antipasto italiano; vedrai che ti piacerà.
6. Prendiamo anche il dolce? Però la panna cotta che piace a me non c'è nel catalogo. C'è invece la torta al cioccolato e la mille foglie, ma io voglio provare il tiramisù; è da tempo che non lo mangio.

15. Messaggi pubblicitari (2)

1. Stanchezza, stress, cattiva alimentazione. La vita moderna non è facile cambiarla, ma una soluzione c'è: *Forte +*: un integratore naturale per chi si stanca, per chi studia, per chi non si nutre in modo giusto, per chi è di età avanzata. Ginseng e 8 vitamine danno energia fisica e mentale. *Forte +*; in farmacia.
2. Cintura di sicurezza. Airbarg. ABS. Potenza. *Velox*: una "macchina" a due ruote. Veloce, sicura, per chi vuole spostarsi in città senza pericoli, senza problemi di parcheggio e, finalmente, senza il bisogno di portare il casco. *Velox*: la libertà a due ruote è diventata sicura!
3. Finora navigare in Internet era più o meno così: cercare, girare, perdersi, a volte trovare e altre no. Adesso navigare cambia. *Find.it*: per trovare, senza perdersi: attualità, notizie, sport, spettacolo, cultura, motori di ricerca, acquisti on line: tutto su una sola pagina, un maxi portale. *Find.it*: il web vi aspetta.
4. Cioccolato, nocciole, crema, biscotto: *Maxicorn*. Il nuovo cornetto di *Algida* è un piacere senza fine. Per chi non si accontenta facilmente, per chi non ne ha mai abbastanza. *Maxicorn* è la grande tentazione di quest'estate, anzi un pericolo. Quando lo comprate, state ben attenti, sicuramente farete tardi: ci vuole moooolto tempo per finirlo.
5. Cerchi una casa o un appartamento, ma non è facile trovare quello che cerchi perché un'agenzia immobiliare non ti può aiutare. Quello che cerchi si trova in edicola! In *CercoCasa* ogni settimana trovi più di 3.000 annunci, con foto e prezzi. *CercoCasa*: una rivista "immobiliare"! A soli 5,9 euro.

16. Professioni

1. Mi chiamo Sonia e lavoro per una rivista televisiva; il mio compito è intervistare vari personaggi dello spettacolo. Quindi, invece di diventare attrice come sognavo, devo discutere con molti attori delle loro carriere. Come lavoro non è la fine del mondo, ma tutto sommato sono soddisfatta.
2. Mi chiamo Silvia e sono segretaria presso una ditta che importa mobili dall'Italia. Così molto spesso parlo italiano al telefono, cosa che mi piace. Quello che non mi piace, invece, è l'orario: di solito vado via alle quattro del pomeriggio, ma spesso torno a casa alle 8. Anzi, penso proprio di cercare un altro lavoro.
3. Sono Roberto e sono architetto. Per me il mio lavoro è tutto. Certo, a volte è molto difficile, specialmente quando i clienti chiedono cose impossibili. D'altra parte, progettare una casa o un palazzo è una cosa molto creativa. Tant'è vero che spesso lavoro fino a tarda notte senza rendermi conto di che ora si fa.
4. Mi chiamo Salvatore e sono impiegato bancario. Il mio lavoro è generalmente interessante e lo stipendio è piuttosto alto. Ci sono comunque alcuni problemi: la banca è molto lontana da casa mia e lo stress non manca mai. Ma se penso a quanta disoccupazione c'è in giro...
5. Mi chiamo Anna e fino a due mesi fa facevo la commessa in un negozio di abbigliamento. Il lavoro era piacevole, ma il proprietario era un rompiscatole: gridava, si lamentava, era sempre di cattivo umore. Allora me ne sono andata e adesso sono in cerca di lavoro.
6. Sono Elena; il mio lavoro è difficile, ma mi piace. L'orario è veramente pesante: praticamente dalla mattina alla sera. Almeno la mia giornata è piena di cose diverse, quindi mi stanco, ma non mi annoio. E ogni tanto sento anche qualche parola buona da mio marito e dai miei figli. Sì, avete indovinato: sono casalinga!

17. D'accordo?

1.
- Bello il vestito della signora Ferri, no? Secondo me, sarà costato un occhio della testa!
- Sì, credo anch'io.
2.
- Ragazzi, ma secondo voi, questo film meritava tre oscar? Per me era un film come tanti.
- Non sono affatto d'accordo; per me è un capolavoro.
3.
- Io non posso capire veramente perché Gianni sta ancora con Debora; non è nemmeno carina!
- Beh, non è proprio così, eh! Molti la trovano addirittura bella; e poi è una brava ragazza.
4.
- Figlia mia, scegliere la professione è una cosa molto seria e difficile, ma hai varie alternative: avvocato, medico...
- Scusa, papà, ma io ho già deciso: voglio fare la modella!
5.
- Hai sentito l'ultimo album di Zucchero? Non è un granché.
- È vero; rispetto al suo cd precedente, questo è così così.
6.
- Ma che giocatore questo brasiliano del Milan! Un vero mago del pallone!
- Ma se non ha segnato un goal in sei mesi di campionato! Ma andiamo!

7.
- Interessante questo libro di ascolto, no?
- Sssì, diciamo che non è molto noioso!
8.
- Secondo me, Stefano è un gran bugiardo e anche maleducato!
- Mah, non penso. Con me si è comportato sempre bene.
9.
- Hai visto la nuova Alfa Romeo? Che macchina!
- Ma davvero ti piace così tanto? Per me non è niente di eccezionale.
10.
- Ieri sera sono tornata a casa tardi e ho acceso il televisore: c'era un film con Aldo, Giovanni e Giacomo: sono rimasta sveglia fino alle 2 di notte. Stupido, no?
- Beh, veramente un po' sì. Però anch'io vado matto per Aldo, Giovanni e Giacomo!

18. Strano, ma vero

1. La polizia a volte arriva tardi, ma non bisogna mai perdere la speranza. Rinaldo C., un signore di Lodi al quale era stato rubato lo scooter, lo ha ritrovato vent'anni dopo. Lo hanno recuperato i poliziotti, durante un controllo, a Roma.

2. Una gattina ha messo in crisi una giovane coppia di Firenze: ha saputo conquistare l'affetto del marito, che nelle ore libere non faceva altro che accarezzare l'animale. Quando l'uomo ha deciso di accoglierla nel letto matrimoniale, la moglie si è arrabbiata: "o io o la gatta". Lui ha scelto la gatta e la donna il divorzio...

3. Un signore di Reggio Emilia ha vinto in trent'anni di partecipazioni a concorsi televisivi oltre 1.200 premi! Il signor Carlo Menozzi ha vinto tra l'altro 11 automobili, 7 motorini, numerosi elettrodomestici e 12 telefonini. È già entrato nel Guiness dei primati, ma non ha alcuna intenzione di smettere di partecipare a concorsi a premi.

4. A Milano sono state rubate ottomila Ferrari! Si trattava naturalmente di modellini destinati a finire nelle mani dei bambini o dei collezionisti. Nonostante la ridotta dimensione delle auto, il loro valore è di circa 60.000 euro.

5. Chi sono i responsabili del maggior numero di furti realizzati nei supermercati? Secondo un'indagine statistica effettuata in diverse città italiane, sono soprattutto signore dai trenta ai quarant'anni, benestanti, quasi sempre mogli di professionisti o di manager. Che, a giudicare dal numero degli arresti, sono anche le meno abili nei furti.

19. Fare la spesa

1. Ehi, mi senti? Sono al supermercato; senti, qua scrivi bagno schiuma, ma non dici quale. Scelgo io? Va be', allora invece del Palmolive, ti compro Spuma di Sciampagna, che mi sembra più naturale, Ok? Ok, ciao.

2. Senti, ti dà fastidio passare anche in macelleria? Ho letto un articolo sui prodotti surgelati e credo che dobbiamo cominciare a mangiare solo quelli freschi. Però non comprare il pollo come ti avevo detto; compra due chili di carne bovina.

3. Ma cos'hai preso, i fusilli?! Ma se ti avevo detto di comprare i tortellini? E poi STAR? Lo sai che non li compro mai; macché, eri distratto? Guarda, se non ti piace andare al supermercato, dimmelo, no? Altrimenti cerca di comprare le cose giuste! Uomini!...

4. Eh, mi scusi signorina, mi può aiutare, per piacere? Sto cercando un condimento, in par-

ticolare un condimento alle olive; e poi qua è tutto Barilla; le altre marche? Ah, sono più avanti, accanto alla pasta? Grazie mille!

5. Al ritorno dal supermercato passi dal fruttivendolo? Bene, mi puoi comprare un chilo di mele e mezzo chilo di limoni? Anzi, no, solo le mele: ora che ci penso, limoni credo di averne in casa; li ho comprati la settimana scorsa. Grazie, ti sono grata.

6. Mannaggia! Niente, invece di comprare filetti di salmone al naturale, ho comprato quelli all'olio di oliva. E non una, ma 6 scatole! Vedi, erano in offerta speciale. E ora che faccio? Le butto via o interrompiamo la dieta e le mangiamo?

20. Contenti e non

1.
- Nadia, noi domenica pensiamo di andare al mare. Ci vuoi venire?
- Accidenti! Lunedì iniziano gli esami all'università. Magari un'altra volta, ragazzi.

2.
- E per te, fratellino, ho comprato questa cravatta di seta. Ecco!
- Grazie, ma sai che io la cravatta non la metto mai.

3.
- Hai saputo che Domenico e Laura si sposano?
- Che bello! Era ora, no?

4.
- Marta mi ha detto che Giacomo ha trovato lavoro in banca, proprio quello che cercava.
- Finalmente!

5.
- Tesoro, eh... stasera io esco con le mie amiche! Va bene?
- Brava! Così guardo la partita con calma. Ma mi raccomando, eh, non tornare presto come l'altra volta!

6.
- Sai, ho deciso di cambiare macchina. Compro una *Stilo* nuova.
- Eh, meno male, perché quella che hai adesso è proprio una porcheria!

7.
- Paolino, stasera vengono a cena zio Dario e zia Marta.
- Uffa, che noia!

8.
- Ho comprato il nuovo cd degli *Articolo 31*; favoloso!
- Che peccato! Era proprio quello che ti volevo comprare per il tuo compleanno. Quindi, quest'anno niente regalo!

9.
- Cambiamento di programma: all'ultimo momento i miei hanno cancellato il viaggio in Portogallo.
- Cavolo! Che rabbia! Avevo organizzato tutto!

10.
- Questa volta ho superato tutti gli esami!
- Mi fa piacere! Io, invece, non ne ho superato nemmeno uno!

SECONDA PARTE

21. Annunci

1. Telecom Italia Mobile, informazione gratuita: l'utente da Lei chiamato non è al momento raggiungibile. La preghiamo di richiamare più tardi.
2. Attenzione: l'espresso 504 proveniente da Roma, per Firenze - Bologna - Milano, è in arrivo al binario 9, anziché al binario 7. Inoltre, l'Intercity 702 viaggia con 15 minuti di ritardo.
3. Signore e signori, benvenuti a bordo. Vi preghiamo di allacciare le cinture e di rimanere seduti anche dopo il decollo. Vi ricordiamo che il fumo non è permesso sui voli nazionali dell'Alitalia.
4. E ora un annuncio per i nostri ascoltatori che si trovano per strada: la polizia stradale informa che, a causa della nebbia, l'autostrada A8 Venezia-Padova, è chiusa al traffico. Inoltre, a Milano e dintorni, problemi di traffico e rallentamenti a causa della forte pioggia.
5. Informiamo i nostri clienti che Coin rimarrà aperto per ancora trenta minuti circa. Vi ricordiamo, inoltre, che al secondo piano, al reparto degli articoli da regalo, ci sono oggi grandi offerte.

Chiavi: *1. gratutita, anziché, allacciare, rallentamenti, 2. 1b, 2c, 3a, 4b, 5c.*

22. Abbigliamento

1.
- Ecco la gonna che mi piace. Quella nera, in fondo. Ti piace?
- Sì, molto. Se c'è anche in bianco, ne compro una anch'io.
- Ma come, compriamo la stessa gonna?!
- Hai ragione; allora, visto che siamo della stessa taglia, comprala tu e ogni tanto la prendo in prestito!

2.
- Signorina, se prendo queste due paia, mi potrebbe fare uno sconto maggiore?
- Mi dispiace signora, non è possibile. In periodo di saldi i nostri sconti sono già abbastanza alti.
- Capisco. Allora, prendo solo queste con i tacchi alti. Posso pagare con la carta di credito?
- Ma certo, signora.

3.
- Ma se quella camicia blu ti piaceva tanto, perché non l'hai comprata?
- Prima di tutto perché costava più di quanto pensavo. E poi, quando l'ho toccata, ho visto che era di uno di quei tessuti che fanno arrabbiare mia madre perché non li può stirare...
- Ho capito...

4.
- Hai visto la nuova collezione di Dolce e Gabbana? Che disegni, che colori!
- Sì, ma solo da vedere. Perché i prezzi sono intoccabili!
- Lo so, ma vedrai che prima o poi qualche piccolo stilista avrà gli stessi modelli a prezzi bassi.

5.
- Tesoro, ti piace il mio vestito nuovo?
- Sì, amore, molto; ma il resto dov'è?
- Quale resto? È tutto quello che vedi!
- Che cosa?! Non mi dire che andrai in giro vestita così! Almeno non con me!

23. Messaggi telefonici (1)

1. Ciao Pippo, sono Marta; senti, per l'appuntamento di domenica pomeriggio, purtroppo non possiamo incontrarci. Scusami, ma la colpa non è mia: devo per forza accompagnare la mia sorellina ad una festa. Per favore, chiamami, va bene? Ciao.
2. Ciao, bello! Sono Angelo; ma scusa, se il cellulare lo tieni sempre spento, perché mai l'hai preso? Comunque, ti volevo dire che sabato io e Nadia organizziamo una piccola festa: è il nostro anniversario. Ti aspettiamo senz'altro. Oh, mi raccomando, questa volta porta qualche bella ragazza, ok? Scherzo. Ciao.
3. Buonasera, mi chiamo Luca Portafortuna e chiamo per l'annuncio che avete messo su *Corriere lavoro*. Purtroppo non posso mandare il mio curriculum vitae per fax e volevo spedirlo via e-mail, ma non ho il vostro indirizzo. Me lo potreste comunicare? Il mio numero è 06-34521236. Grazie, arrivederci!
4. Pronto, signor Galbani, sono Vittorio, dalla Carrozzeria *Auto In*. La Sua macchina è a posto, può passare anche oggi a prenderla; siamo aperti fino alle 8 di sera. Il costo comunque è un po' più alto del previsto, 750 euro in tutto, IVA compresa. ArrivederLa!

24. Programmi televisivi

Cari telespettatori, buon pomeriggio. Questi sono i nostri programmi di oggi: alle 14:00 c'è "Solletico", l'appuntamento pomeridiano dei bambini. Alle 15:00 i cartoni animati di "Disneyworld". Alle 15.30, "Tg ragazzi", il notiziario per i più giovani. Alle 16:00 trasmetteremo "MusItalia", con la hit parade di musica italiana. Alle 17:00 Tg1, con le ultime notizie del giorno. Alle 17.25 meteo. Alle 17.30 potete vedere il telefilm: "Domani è un altro giorno". Alle 18.30 il quiz: "Passa parola". Alle 19.15 "Il mondo in diretta", notiziario con Maria Grazia Rito. Alle 20:50 c'è "Che spettacolo!", il varietà che conduce Lorella Cuccarini. Alle 21.20 "La stanza del figlio" il premiato film di Nanni Moretti. Alle 23.30 andrà in onda il programma di Antonio Ricci "A quattro occhi". A mezzanotte tg notte. Infine, a mezzanotte e trenta il film, "Un americano a Roma", con Alberto Sordi. Buona visione a tutti.

25. Curiosità italiane

1. Gli italiani non sono tra i popoli più felici del mondo. Secondo una ricerca internazionale, i più felici del mondo sono i danesi, al secondo posto gli australiani, seguiti dagli americani, mentre gli italiani sono solo al sedicesimo posto. Sempre secondo lo studio, gli italiani non sembrano molto soddisfatti del lavoro e dei rapporti con la famiglia; sono invece i più soddisfatti di tutti della religione.
2. L'anno passato sarà ricordato come uno degli anni migliori nella storia delle esportazioni italiane di pasta. Infatti, l'anno scorso le vendite di pasta alimentare sono cresciute di oltre il 24% rispetto all'anno precedente, passando da 784 mila tonnellate a ben 970 mila! Evidentemente anche gli stranieri hanno capito che non c'è niente di meglio di un bel piatto di

spaghetti.

3. Da una recente indagine dell'Istat sui consumi degli italiani risulta che frigorifero e televisione sono ancora status symbol: solo 2 famiglie su 100 riescono a vivere senza. Un altro dato importante è che 3 italiani su 4 possiedono almeno una macchina, e il 30% ne ha più di una. Altri amori sono naturalmente il cellulare, la lavatrice, i sistemi di riscaldamento, mentre è in continua crescita la vendita di pc.

4. Credono nel principe azzurro e per amore sarebbero disposte a fare quasi tutto. È il risultato di un'inchiesta della rivista "20 anni" che ha intervistato oltre 1.300 ragazze italiane tra i 16 e 24 anni. Per vivere un "amore impossibile" il 21% abbandonerebbe la famiglia, il 14% cambierebbe città e paese, il 12% potrebbe ricorrere al chirurgo plastico per piacere all'uomo dei sogni e il 10% cambierebbe religione. E voi, cosa fareste per amore?

26. Indicazioni stradali

1.
- Scusi, signora, mi sa dire dove si trova Piazza de Nicola?
- Certo, è praticamente a due passi da qui. Dunque, va' sempre dritto; la prima, la seconda, la terza strada che incontrerai è via Principe. Gira a sinistra e poi subito, al primo incrocio, a destra, in via Fieramosca. Lì dovresti vedere la piazza.
- Bene. Allora, ha detto la seconda a destra e poi...
- No!, ho detto la terza a sinistra e poi la prima a destra.
- Ah, ok, adesso ho capito. Grazie mille, signora!
- Non c'è di che!

2.
- Ragazzi, scusate, ma credo di essermi perso. Sto cercando l'Università.
- Eh, già, ti sei proprio perso! Guarda che non è tanto vicino, eh? Forse ti conviene prendere un autobus. Comunque, se proprio vuoi andarci a piedi, prendi via Manzoni, che è la prima a destra. Vai diritto per un trecento metri circa e gira a sinistra in via Nicolai. Va' dritto per altri duecento metri e gira di nuovo a destra. L'università è là, non puoi mancarla.
- Speriamo bene! Allora, destra, 200 metri, sinistra, centro metri, e infine a sinistra.
- No, l'ultima a destra. Senti, io ti consiglio, comunque, di chiedere anche più avanti.
- Grazie, ciao!

27. Messaggi pubblicitari (1)

1.
Costruzioni Chicco Modo. Un mattoncino dopo l'altro, cresce il gioco crescono le costruzioni cresce il divertimento con il tavolo doppia attività *Chicco Modo.*
Costruzioni Chicco Modo: il mondo a modo suo.

2.
- Movimento tutte le mattine, jogging all'aria aperta e alimentazione sana, semplice, cioé... non so se mi spiego.
- Oggi c'è una gustosa novità: *Galbanino Fette.* Le fette di buon formaggio, perché in ogni fetta di *Galbanino* c'è un intero bicchiere di latte, per questo è così genuino. *Galbanino Fette*: più naturale di così...

3.
- Ah... ma cosa vorrà dire use a scriv driver?
- Use a screwdriver vuol dire devi "usare un cacciavite".
- Ma come lo sai?
- È semplice. Richy con il suo nuovo amico multimediale l'*English master* ha l'inglese a portata di mouse.
- Benvenuto nel tuo futuro con il computer *Ravensburger*.

28. Una ricetta

Care amiche, ecco una ricetta rapida, semplice e famosa: spaghettini all'aglio, olio e peperoncino.

Buttate 450 grammi di pasta. Nel frattempo mettete 8 cucchiaini di olio extra vergine d'oliva, 2 spicchi tritati di aglio e un pizzico di peperoncino in una casseruola. Fateli rosolare a fuoco basso finché l'olio non comincia a cambiare colore. Togliete rapidamente la casseruola dal fuoco facendo attenzione a non bruciare l'aglio, perché ciò renderebbe il sapore più forte. Aggiungete un cucchiaio di prezzemolo tritato e salate a piacere. Scolate la pasta quando sarà al dente e ponetela in un piatto di portata caldo. Versatevi sopra il condimento e mescolate bene. Servite subito e... buon appetito!

29. Messaggi telefonici (2)

1. Pronto, telefono per l'annuncio che avete messo sul giornale; sarei interessato all'auto che vendete, solo che nell'annuncio non è riferito l'anno di produzione. E poi volevo sapere se la somma che chiedete è trattabile e quando potrei passare a vedere la macchina. Se mi potete chiamare, il mio numero è 02.76.88.54.31. Grazie!
2. Ciao Dino, sono Marco. Ma dove cavolo sei sparito?! È da un mese che non ci sentiamo! Hai cambiato di nuovo numero di cellulare? Per favore, fatti sentire, ti devo parlare di una cosa seria. Tu, stai bene? Aspetto la tua telefonata. Mi raccomando, eh? Ciao.
3. Pronto, messaggio per la signorina Anna Lippi. Abbiamo ricevuto il Suo curriculum vitae e saremmo interessati ad una collaborazione con Lei. Sono la segretaria del direttore, il sig. Bersani, che vorrebbe avere un colloquio con Lei. La prego di chiamarmi al 54.34.562, per fissare un appuntamento, se possibile entro venerdì prossimo. Grazie, arrivederLa.
4. Ciao Paola, sono Tania. Senti, ti volevo chiedere, mi potresti per caso prestare il tuo vestito nuovo, sai quello rosso che mi piace? Ti ricordi quel ragazzo che ho conosciuto via chat? Eh... sabato sera finalmente usciremo insieme e sai, voglio fare una bella figura. Però non ti preoccupare, starò molto attenta. Mi chiami appena puoi? Grazie, a dopo.

30. Maleducati

Come si distingue una persona poco educata? Purtroppo non è né difficile, né certo raro incontrarne una. Ecco solo alcune delle abitudini del maleducato:
- suona il campanello di un conoscente per fargli visita, senza nemmeno telefonare prima, con la scusa "passavo da qui..."
- telefona a casa prima delle 9 del mattino o dopo le 10 di sera, senza mai chiedere se disturba
- domanda l'età ad una signora
- tiene gli occhiali da sole in un luogo chiuso

- ha l'abitudine di arrivare in ritardo; e come diceva uno scrittore "mentre aspetiamo qualcuno che non è puntuale, pensiamo solo ai suoi difetti"
- passa davanti agli altri nelle code
- interrompe spesso chi parla
- parla ad alta voce in luoghi pubblici e non fa nessuno sforzo di abbassare la voce quando parla al cellulare
- perde spesso la calma. Lo stesso Giulio Cesare, prima di rispondere ad un'osservazione offensiva, contava fino a 20
- accende il televisore quando ci sono ospiti o addirittura cambia continuamente canale
- tiene il cellulare acceso in cinema, teatri, ristoranti e perfino in chiesa
- fuma in presenza di altre persone o addirittura mentre gli altri mangiano, senza mai chiedere il permesso
- sulla spiaggia ascolta la radio a tutto volume, sicuro che tutti hanno esattamente le stesse preferenze musicali; oppure, se ha figli, comunica con loro solo gridando
- al cinema, quando vede sullo schermo una città in cui è stato, lo dice ad alta voce, per far vedere che è cosmopolita.

Se anche a voi è capitato di comportarvi così qualche volta, non significa che siete maleducati. D'altra parte, però, si può sempre migliorare e imparare cose nuove.

31. Una telefonata

- ...Dal numero telefonico, non dal cellulare logicamente, ma siccome abbiamo anche il numero di casa di questo ragazzo che stiamo per chiamare, mi sembra di capire che sta abbastanza lontano; però prima tentiamo col cellulare, il cellulare è libero ... speriamo di riuscire a parlare con lui....
- Sì.... Pronto...
- Michele...
- Sì...
- Ciao, come stai?
- Bene. Tu chi sei?
- Io sono Michele. Ciao.
- Ciao.
- Qualcuno mi ha dato il tuo numero, e mi hanno detto di chiamarti, perché ... sai io conduco un programma in radio, su Radio Reporter che è una radio di Milano e la sera a quest'ora, tra le 23:00 e la mezzanotte c'è un programma che si chiama Radio Libera dove noi andiamo a chiamare i destinatari di varie dediche e messaggi e tu sei uno di questi.
- Ho capito... Ah, bene.
- Ma tu di dove sei?
- Di Cagliari
- Ah... di Cagliari.
- Sono molto lontano.
- Molto lontano da Milano.
- Esatto.
- E immagino che a quest'ora sei in giro vicino al mare...
- Eh, non proprio vicino al mare, ma in giro... sì... in una piazza di Cagliari... sì... dove c'è un sacco di gente.
- Bene, bene.... Cioè fortunato te voglio dire.

- Magari più tardi, sì, andiamo in spiaggia.
- Puoi respirare un po' di aria buona, ma.... Hai già un'idea di chi possa essere l'autore di questa dedica?
- Sì.
- Senti, allora ti leggo subito il messaggio.
- O.K.
- Dice: "Esattamente un mese fa, ci siamo conosciuti e in questo mese sto capendo tante cose. Sei un ragazzo dolce e sensibile, ma soprattutto una persona su cui so di poter contare. Ti voglio un gran bene, non te lo dimenticare". Firmato?
- Michela?
- Michela, sì. Potremo fare una bella famiglia noi tre. Michele, Michele... Cioè vengono buoni i NIK Vi siete conosciuti in chat?
- Sì, sì...
- Ah, ecco, ho avuto questo...
- Ma, guarda per caso.
- Ho avuto questo... questo intuito..., questa intuizione,
Chiavi: *1. mare, dolce, dimenticare, 2. presenti: A, C, F, I, M, N.*

32. Una prenotazione

- Buonasera.
- Sì... buonasera, sono Dino Zoff. Chiedo scusa. È possibile prenotare per venerdì sera un tavolo da quattro persone?
- Domani sera?
- Eh... sì.
- Guardi, io per adesso il tavolo non ce l'ho. Non so se può lasciare un recapito telefonico, La richiamo nel caso in cui qualcuno mi disdica.
- Sìììì... certo, guardi, sa cos'è... che dovrei avere la certezza che saremo io e il dottor Cragnotti con le rispettive signore e quindi chiaramente, non se lei mi dà una risposta...
- Io... al limite posso fare un giro di telefonate oggi e La richiamo sta.... in serata o più tardi?
- Lei sarebbe gentilissima se riuscisse a fare il tutto in un quarto d'ora al massimo.
- Eh... ci posso provare, ma non dipende solo da me, come può immaginare.
- Va bene. Allora richiamo fra un quarto d'ora.
- D'accordo. Ci sentiamo più tardi, allora.
- Va benissimo, La ringrazio, buonasera.
- Buonasera.
...
- Buonasera.
- Sì, buonasera. Sono Dino Zoff. Ho chiamato...
- Ah...., sì, allora ho risolto per domani sera.
- Perfetto.
- Ci vediamo domani, allora.
- La ringrazio, è stata gentilissima.
- A Lei. Grazie, buona serata, arrivederci!
- Buona serata!

33. Appassionata di cinema

- Costanza, ti piacciono le favole?
- Sì, mi piacciono molto; però al cinema vedo più il genere thriller.
- Addirittura?!
- Eh ... sì. Mi piace molto.
- Per esempio un film che ti piace tanto?
- Beh... mi è piaciuto molto "Le verità nascoste", quello di Robert Zemekis, e poi "Psycho", quello di Alfred Hitchcock. Di genere thriller mi sono piaciuti questi.
- Aaah... bene, io andavo così... Volevo parlare di favole. Bene, noi, invece, parliamo di thriller. Invece la favola più bella?
- Beh, mmh... io credo.... A me mi è piaciuto sempre molto "Peter Pan", tant'è che lo sapevo a memoria.
- Ma cosa facevi, te le facevi raccontare dai tuoi genitori oppure ti leggevi il libricino e la storia da sola?
- No, no, me le facevo raccontare.
- Te le facevi raccontare.
- Sì.
- Quando, la sera prima di andare a dormire?
- Sì, sì. La maggior parte delle volte, sì.
- Costanza, la vuoi vincere la magliettina?
- Eh..., magari.
- È molto carina, dai, giochiamo.
- Sì, dimmi!
- Nella versione originale, la voce di SHREK appartiene ad un attore canadese diventato molto famoso nei panni di un agente segreto negli anni sessanta, in un film dal titolo "Austin Powers, il controspione". Mi sai dire il titolo di quest'attore?
- Sì, credo proprio di sì. Mike o Michael Myers.
- Ragazzi, io non ho parole.
- Grazie!
- Non ho parole. Una bambina di dieci anni che così tranquilla, Michael Myers. Brava! Brava!
- Grazie! E che io sono veramente molto appassionata e quindi queste cose le so. Poi dai vostri trailer qualcosa riesco sempre a capire.
- Ma quante volte vedi tu Coming soon?
- Mah... un paio di ore al giorno, una cosa esagerata. Infatti, mio padre mi dice che sono "monocanale". Mi dice che guardo solo "Coming soon". Però a me mi piace, specialmente i programmi di classifiche...... tutte queste cose.

34. Messaggi pubblicitari (2)

1.
- Mi dai i *Buonissimi*? Voglio fare un antipasto sfizioso e apparecchiare in modo più allegro.
- Mi dai i *Buonissimi*? Vorrei fare un primo speciale, dare un tocco di novità alla tavola.
- Mi dai i *Buonissimi*? Sa, questa sera siamo in sei.
- I *Buonissimi*. I nuovi volumi di ricette gustose che ti regalano il sevizio per sei persone "tavola country".
- I *Buonissimi*. In edicola il primo volume con la prima posata e in più prova l'insaporitore alle

erbe "magia d'aromi Knorr" De Agostini Ideadonna.
- Mi dai i *Buonissimi*? eh......

2.
- Quelle ragazzine, tutte rossetto e zatteroni. Io provo pena per loro. A mia figlia, ho trasmesso valori seri. E poi siamo amiche. Ci diciamo tutto, so con chi esce, so a chi telefona. E al telefono non ci passa le ore, preferisce leggere un buon libro. Amore!!!!!
- *Nuovo Sirio 187*: tutte le SMS che vuoi.
- Dal telefono dei tuoi.
- Il primo telefono di casa al mondo, con le SMS. Solo da Telecom Italia.
- Sì, mia figlia è diversa. Credo.

3.
È con vero piacere che Riomare presenta le *Insalatissime di Riomare*. Le insalate di pesce già pronte, stuzzicanti, fantasiose, con il tonno migliore o il salmone migliore e tante verdure belle e buone.
Insalatissime Riomare: un'allegria pronta da gustare o per arricchire fantasiosi primi.
Insalatissime Riomare: la fantasia è servita.

4.
- Amore, oggi ti voglio parlare di una grande cucina.
- Trovi una porta aperta. Io vado pazzo per la cucina italiana.
- No, mio caro sei fuori strada.
- Ho capito. Intendevi la nouvelle cuisine.
- Acqua, acqua. Lascia stare la Francia. La cucina che dico io è molto più vicina. È a Bagno di Tivoli.
- Fettuccine fatte in casa, pollo alla cacciatora!
- No, *CBS* più semplicemente. *CBS*, la fabbrica di cucine che vende direttamente al pubblico.
  - Tu portami a scegliere una bella cucina che poi... alle fettuccine ci penso io.
- 0774-358323...

35. Smettere di fumare

- Senta, un'ultima domanda, dottoressa. Perché è così difficile smettere di fumare?
- Smettere di fumare è difficile, però, anzitutto vorrei dire che si può e difatti sei milioni d'italiani ci sono riusciti. È difficile innanzitutto perché c'è questa dipendenza fisica dalla nicotina. È difficile anche perché ci sono dei problemi psicologici di relazione del fumatore con la sigaretta e con l'abitudine al fumo ed è difficile anche perché c'è anche tutto un condizionamento psicologico, pagato generalmente dall'industria del tabacco che si traduce nella pubblicità e nel cercare di indurre i giovani al fumo e che ovviamente hanno un effetto sulle persone. Però, appunto ripeto, ci sono tanti metodi e soprattutto è importante che non ci si arrenda al primo fallimento, perché c'è tanta ricerca adesso proprio sullo smettere di fumare e tante persone sono riuscite a smettere di fumare ma, magari, non al primo tentativo; quindi non bisogna scoraggiarsi davanti a un fallimento, ma bisogna ritrovare in se stessi la forza e riprovare a smettere di fumare.
- Grazie, dottoressa Negri di aver partecipato a questa edizione di *Informa Salute*.

36. Una mamma preoccupata

- Pronto?
- Buonasera, Marinella.
- Buonasera a Lei.
- Dunque vorrei sapere per mio figlio.
- Cosa vuoi sapere?
- Allora, per l'amore.
- Dimmi.
- È Toro, 28 anni, e lei Sagittario, 30.
- Come andrà?
- Come va?
- No, va...
- Come andrà.
- Ecco. Vediamo come andrà tra questi due ragazzi; perché come va senz'altro lo sai.
- Sì, sì.
- Andiamo a vedere come andrà fra loro due a livello sentimentale, speriamo bene. Oddio.
- Mmh.
- È lei che è così gelosa?
- Ma..., non lo so, guardi. È una coppia... È una strana coppia.
- Ascolta... Infatti io... senti... ti dico solo adesso come va? Io vedo delle angosce.
- Io vedo mio figlio che è un po'...
- Io vedo dei prob... Sono sposati? Spero no.
- No, no, no.
- Eh, perché questa storia va ad interrompersi.
- E no, ma io spero eh... Perché proprio...
- Allora meno male, perché io ti stavo dando... oh, sì, sì...
- Davvero? Guardi, perché io vedo mio figlio che è in crisi.
- Guarda... brutta, brutta, non mi piace....

37. Una cantante napoletana

- "Viva Napoli" ottava edizione, segna anche il ritorno di una grande artista, di una bellissima voce, quella di Irene Fargo. Ciao.
- Ciao a tutti, e soprattutto di una mamma a tempo pieno.
- E infatti diciamo subito questa cosa, perché molti si chiederanno ...Irene Fargo... ma questa grande artista, ma come mai non l'abbiamo più vista, non l'abbiamo più sentita. Perché lei ha ...aveva qualcosa di molto importante da fare. Una bellissima bambina, che si chiama Isabella, ha cinque mesi, ed è veramente un bambolotto. E siamo a due?
- Siamo a quota due, Eleonora ed Isabella. Tra l'altro ho lavorato sempre, anche in gravidanza; anche se la seconda gravidanza è stata un pochino più pesante, tutta d'estate, quindi, gli spostamenti sono stati parecchi, abbiamo toccato molte località italiane, soprattutto del Sud, e quello che mi piace di più è che "Viva Napoli" è un ritorno che per me è molto importante; anche in video intendo dire.
- Certo. Allora questa Isabella ha viaggiato con te... eh...?
- Ma tutte e due poverette si sono già fatte tournée sia prima della nascita che dopo.
- Senti, che cosa sta preparando adesso Irene... va be' insomma... con due bambine non è

facile, comunque penso che continuerai a dedicare la tua vita anche alla musica, no?

- Senz'altro. Anche perché io senza musica non posso stare. Ho preparato un altro disco napoletano e probabilmente uscirà un doppio album napoletano.

38. Messaggi pubblicitari (3)

1.

Caro amore mio,
ti ho regalato il doppio forno *Delonghi*. Doppio forno perché si può cucinare sia tradizionalmente sia a microonde, così con il forno elettrico tenterai di superare anche mia madre. Scherzo! Mentre con il forno a microonde, velocissimo a scongelare e cucinare, perdonerai i miei ritardi è bello, comodo, si pulisce in un attimo. Così avremo più tempo per noi tre. Ti amo.
PS. Sono affamato.

2.

Dal 23 Novembre al 31 Dicembre al *Grancasa* puoi vivere un Natale speciale con "Speciale Natale". La promozione per darti al meglio tutto l'assortimento di giocattoli, hi-fi piccoli e grandi elettrodomestici, casalinghi, Fai da te, teleria e tante tante occasioni per passare un Natale davvero speciale.
Grancasa a Legnano, Nerviano, San Giuliano e Pero.

3.
- Uffa! Che cosa preparo?
- Non farti prendere dal panico quando arriva l'ora di cena. Vai sul sicuro. Scegli *Riomare* e la tranquillità di un alimento sempre sano e genuino.
- Ottima idea. E stasera filetto di salmone *Riomare*.
- Non ti preoccupare. Scegli *Riomare*.

4.
- Vuoi un centro studi che ti prepari a sostenere qualsiasi esame nei tempi giusti e con ottimi risultati. *Universitalia.*
- Vuoi laurearti lavorando. *Universitalia.*
- Lezioni individuali dalle 9 alle 21. Metodologia di studio con tutor specializzati ed assistenza burocratica.
- *Universitalia* è all'Eur. 06-5921795 e al Flamigno 06-3224951.
- Metodo *Universitalia*, massimo 36 ore, pronti all'esame.

39. Alimentazione

- Professore, allora, a questo punto bisogna spiegare come andrebbe organizzata correttamente una giornata alimentare per chi è a dieta.
- Diciamo che al mattino bisogna fare un'ottima colazione con latte e cereali. Cereali che possono essere prodotti da forno: biscotti, fette biscottate e così via. Più tardi, a metà mattino, uno spuntino a base di frutta oppure uno yogurt. A mezzogiorno o a cena si possono scambiare i due pasti, uno è dato dai carboidrati con... il piatto migliore sarebbe carboidrati con legumi, cioè pasta e ceci, pasta e fagioli, pasta e lenticchie, in quanto è un piatto completo; completo perché apporta i carboidrati dati dalla pasta, i legumi che sono le proteine e il gras-

so che è dato dall'olio extra vergine d'oliva.
- Tutti alimenti tra l'altro sanissimi.
- Sempre. A merenda un altro frutto e per cena, se a mezzogiorno abbiamo mangiato i carboidrati, di sicuro dobbiamo introdurre delle proteine, quindi dei prodotti di origine animale: la carne, il pesce o le uova, sempre con una minestra e, se non ci sono dei grossi problemi di dieta, anche il pane. Di nuovo, il frutto. La frutta, però, non sempre lontano dal pasto, non è detto che bisogna mangiarla lontano dal pasto, semplicemente perché così facciamo piccoli pasti e frequenti.

40. Una fan

- Pronto!
- Pronto!
- Buonasera. Dove guardiamo? ...Pronto!
- Sono Antonella da Foggia.
- Serena da Foggia, benvenuta...
- Antonella.
- Antonella. Io subito coi nomi sono fantastica!
- Ma io questo qua...
- Antonella, ciao.
- Dove sei, Antonella? Fatti vedere!
- Sono agitatissima. ...Non ci posso credere. Dopo tantissime volte. Allora, ti volevo innanzitutto fare i complimenti per il concerto che hai tenuto ad Apricena, in provincia di Foggia, il 28 di maggio.
- Come no, come no! È stata una serata meravigliosa, con moltissima gente, devo dire.
- Io ero in prima fila, davanti al tuo microfono, m'avessi guardato una volta.
- Addirittura. (risate e applauso)
- Evviva la sincerità, Antonella.
- No, è la tensione, la tensione che si crea sul palco, che a volte... no... io in realtà, ... forse ...forse non ti sei accorta, ma t'ho guardata...
- Comunque, io ero quella che ti mandava i baci!
- Ma allora...
- Ma allora è una cosa seria.
- Poi volevo farvi una domanda. Io ho tutti i cd di Michele; tutti, tranne i primi due: "Sarabanda" e "Soltanto amici". La Sony non li pubblica più. Che vogliamo fare?

edizioni EdiLingua

Nuovo Progetto italiano 1 T. Marin - S. Magnelli
Corso multimediale di lingua e civiltà italiana
Livello elementare

Nuovo Progetto italiano 2 T. Marin - S. Magnelli
Corso multimediale di lingua e civiltà italiana
Livello intermedio

Nuovo Progetto italiano 3 T. Marin
Corso multimediale di lingua e civiltà italiana
Livello intermedio - avanzato

Allegro 1 L. Toffolo - N. Nuti
Corso multimediale d'italiano. Livello elementare

That's Allegro 1 L. Toffolo - N. Nuti
An Italian course for English speakers
Elementary level

Allegro 1 A. Mandelli - N. Nuti
Esercizi supplementari e test di autocontrollo
Livello elementare

Allegro 2 L. Toffolo - M. G. Tommasini
Corso multimediale d'italiano
Livello preintermedio

Allegro 3 L. Toffolo - R. Merklinghaus
Corso multimediale d'italiano. Livello intermedio

La Prova orale 1 T. Marin
Manuale di conversazione. Livello elementare

La Prova orale 2 T. Marin
Manuale di conversazione
Livello intermedio - avanzato

Video italiano 1, 2, 3 A. Cepollaro
Videocorso italiano per stranieri
Livello elementare - medio - superiore

Vocabolario Visuale T. Marin
Livello elementare - preintermedio

Vocabolario Visuale - Quaderno degli esercizi
T. Marin. Attività sul lessico
Livello elementare - preintermedio

Diploma di lingua italiana A. Moni - M. A. Rapacciuolo. Preparazione alle prove d'esame

Sapore d'Italia M. Zurula
Antologia di testi. Livello medio

Primo Ascolto T. Marin
Materiale per lo sviluppo della comprensione orale
Livello elementare

Ascolto Medio T. Marin
Materiale per lo sviluppo della comprensione orale
Livello medio

Ascolto Avanzato T. Marin
Materiale per lo sviluppo della comprensione orale
Livello superiore

Scriviamo! A. Moni
Attività per lo sviluppo dell'abilità di scrittura
Livello elementare - intermedio

Al circo! B. Beutelspacher
Italiano per bambini. Livello elementare

Forte! 1 L. Maddii - M. C. Borgogni
Corso di lingua italiana per bambini (6-11 anni)
Livello elementare

Una grammatica italiana per tutti 1
A. Latino - M. Muscolino
Livello elementare

Una grammatica italiana per tutti 2
A. Latino - M. Muscolino
Livello intermedio

I verbi italiani per tutti R. Ryder
Livello elementare - intermedio - avanzato

Raccontare il Novecento
P. Brogini - A. Filippone - A. Muzzi
Percorsi didattici nella letteratura italiana
Livello intermedio - avanzato

Invito a teatro L. Alessio - A. Sgaglione
Testi teatrali per l'insegnamento dell'italiano a stranieri. Livello intermedio - avanzato

Mosaico Italia M. De Biasio - P. Garofalo
Percorsi nella cultura e nella civiltà italiana
Livello intermedio - avanzato

Collana l'Italia è cultura M. Zurula
Lineamenti di storia, letteratura, geografia, arte, musica, cinema e teatro

Collana Raccontimmagini S. Servetti
Prime letture in italiano. Livello elementare

Collana Primiracconti
Letture graduate per stanieri. *Traffico in centro* (livello elementare) e *Un giorno diverso* (livello elementare - preintermedio) M. Dominici

Collana Cinema Italia A. Serio - E. Meloni
Attività didattiche per stranieri. *Io non ho paura - Il ladro di bambini* (livello intermedio - avanzato)

Collana Formazione

italiano a stranieri (ILSA)
Rivista quadrimestrale per l'insegnamento dell'italiano come lingua straniera/seconda